타나카 요시키 · 라이트스태프

※이 책은 아르슬란 전기 독본의 원문 내용을 최대한 살리기 위해서 1부 세트에 포함되어 있지 않은 후속권인 아르슬란 전기 8권부터 10권까지의 내용을 포함하고 있습니다. 내용 누설에 주의해주세요.

목 차

아르슬란 전기 스토리 가이드 005

아르슬란 전기 1 왕도의 불길 007
아르슬란 전기 2 두 왕자 011
아르슬란 전기 3 저무는 해 속의 비가悲歌 015
아르슬란 전기 4 피땀에 물든 대륙공로 020
아르슬란 전기 5 길 떠난 말의 쓸쓸한 그림자 024
아르슬란 전기 6 어지러이 피는 모래폭풍 029
아르슬란 전기 7 왕도탈환 034
아르슬란 전기 8 가면의 군단 039
아르슬란 전기 9 왕의 깃발은 돌고 돈다 044
아르슬란 전기 10 요사스러운 구름의 무리 049

아르슬란 전기 월드 가이드 055

지도 056
용어사전 057
파르스 왕가 가계도 099
연표 100

아르슬란 전기 인명사전 121

〈소설〉
아르슬란 전기 외전 동방순력東方巡歷 213

아르슬란 전기 스토리 가이드

사실은 전권을 여러 번 읽어보는 것이 제일.
하지만 그럴 시간이 없는 분은 각 권을 3분 만에
회상할 수 있는 이쪽을 봐 주세요.

왕도의 불길
대하 로망, 당당히 스타트

"나르사스, 재고해줄 수 없겠는가. 나도 부탁하겠다. 다륜과 함께 나를 도와다오."

파르스력曆 320년──.

침략자 루시타니아군에 맞서 싸우기 위해 아트로파테네 평원에 진을 친 파르스군의 진영에는 첫 출전을 앞둔 왕태자, 열네 살의 아르슬란이 있었다.

전투 직전, 마르즈반(만기장) 다륜은 백부이자 에란(대장군)인 바흐리즈로부터 아르슬란 전하에게 충성을 맹세해달라는 부탁을 받는다. 의도가 있으리라 생각하면서도 맹세를 하는 다륜. 그러나 백부의 말에 담긴 진의는 결국 물을 수 없었다. 용맹하기로 유명한 기병을 보유한 파르스군은 짙은 안개에 사로잡히고, 열세인 줄로만 알았던 루시타니아군의 함정에 빠져 믿을 수 없는 패배를 맛본 것이다. 마르즈반 칼란의 배반 때문이었다. 그리고 루시타니아 진영에서 파르스의 에란 바흐리즈를 살해하고 샤오(국왕) 안드라고라스 3세를 사로잡은 자는 은색 가면으로 얼굴을 가린 채 냉혹한 눈빛으로 포로를 노려본다.

무쌍의 전사 다륜과 함께 전장의 혼란을 벗어난 아르슬란. 두 사람이 몸을 의탁한 이는 다이람 지방의 선대 영주이자 다륜의 벗인 나르사스였다. 뛰어난 지략을 지녔으며 한때 디비르(궁정서기관)를 지냈으나, 샤오의 역정을 사는 바람에 속세를 떠나 지금은 바슈르 산에서 마음 내키는 대로 살아가던 그는 두 사람을 환대한다. 하지만 한편으로 국난을 넘어서기 위한 힘을 보태달라고 부탁하는 아르슬란에게 두 번 다시 벼슬을 할 마음은 없다고 말하는 나르사스. 그러나.

"내가 파르스의 샤오가 되는 날 그대를 궁정화가로 초빙하겠다."

이 한마디에 왕자에게 흥미를 느낀 그는 레타크(시동) 엘람을 데리고 은거 생활을 버리기로 결심한다.

한편 파르스의 아름다운 왕도 엑바타나는 침략자 루시타니아인들에게 유린당하고 있었다. 유일절대신 이알다바오트를 신앙하는 루시타니아인은 이교도를 학살하고 약탈하는 데 열광했다. 사로잡혔던 파르스의 마르즈반 샤푸르 또한 성문 앞에서 잔인하게 살해당하는 치욕을 맛볼 뻔했으나, 어떤 젊은 사내가 화살 한 대로 그를 고통에서 구원한다. 그는 자신을 떠돌이 악사 기이브라 소개한다. 그 공로로 왕비 타흐미네로부터 포상을 받은 기이브. 그러나 그는, 재상을 비롯한 몇몇 중신이 왕비를 피신시키기 위해 자신을 미끼로 이용하려는 의도를 재빠르게 간파한다.

어쨌든 엑바타나는 마침내 함락되었다. 루시타니아의 왕제 기스카르 공작은 풍요로운 파르스를 지배하기 위해 바쁘게 움직인다. 독실한 이알다바오트 신도인 루시타니아 국왕 이노켄티스 7세는 생포한 타흐미네의 마성과도 같은 아름다움에 마음을 빼앗겨 이 적국의 왕비와 결혼을 생각하게 된다.

그에 앞서 일찌감치 성을 탈출한 기이브는 반달이 뜬 밤, 기마로 여행하는 한 미녀와 만난다. 훌륭한 무예를 보여 루시타니아 병사들을 순식간에 물리친 여전사의 이름은 파랑기스. 미스라 신의 신전에 속한 몸으로 왕태자 아르슬란을 돕기 위해 파견되었다고 한다. 파랑기스에게 흥미를 품은 기이브는 그녀와 동행하여 마침내 아르슬란과 합류한다.

한편, 도망친 왕자를 추격해온 칼란의 부대는 나르사스의 책략에 궤멸된다. 그 과정에서 루시타니아 측에 돌아선 줄로만 알았던 칼란은 다륜과의 대결에 패배해 숨이 끊어지기 직전, 알 수 없는 말을 남긴다.

"왕위는 정통한 파르스 왕의 것……."

그즈음 지하에서는 마魔를 다루는 자들의 사악한 음모가 준동하고 있었다. 아트로파테네 전투에서 주술을 써 전황을 루시타니아 측에 유리하게 만들었던 그들의 진정한 목적은 사왕 자하크의 부활이었던 것이다. 과거 천 년에 걸쳐 파르스를 지배하고 잔학의 극치를 달렸으며 사람들을 공포의 도가니에 빠뜨렸던 이형의 왕. 그들은 땅속 깊은 곳에 봉인되었던 자하크를 재림시키기 위한 양식으로 더욱 많은 사람의 피를 대지에 쏟으려 하고 있었다.

한편 파르스 샤오 안드라고라스는 감옥에서 사슬에 묶인 채 매일 고문을 받고 있었다. 그곳을 찾아온 은가면은 가면을 벗고, 극심한 증오를 담아 자신이야말로 파르스의 정통한 국왕이라고 밝힌다. 선왕 오스로에스 5세의 적자 히르메스. 16년 전, 안드라고라스가 왕위를 빼앗기 위해 불태워 죽였다는 소문이 돌았던 조카의, 화상 자국에 절반이 뒤덮인 얼굴이 드러난다.

두 왕자

국왕은 단 한 사람. 히르메스 출격.

"이 짓무른 얼굴과 안드라고라스에 대한 증오. 그 외에 증거가 필요한가!"

다륜, 나르사스, 파랑기스, 기이브, 그리고 엘람. 다섯뿐인 수하들의 비호를 받으며 니무르드 산의 카샨 성새로 향한 아르슬란은 성주 후다이르의 환대를 받는다. 후다이르는 왕자에게 충성을 과시하지만, 사실 그에게는 자신이 거둔 왕자에게 딸을 시집보내 외척으로서 파르스를 좌지우지하려는 야심이 있었다. 그러나 나르사스는 모든 것을 꿰뚫어보고 있었다. 후다이르가 자신의 야심을 위해 왕자의 부하들을 제거하려 한다는 사실도.

본심을 들켜 격앙한 후다이르가 다륜에게 목숨을 잃은 후, 아르슬란은 후다이르의 굴람(노예)들을 모두 풀어준다. 그러나 자유를 얻었음에도 굴람들은 '주인의 원수' 아르슬란에게 분노와 살의를 돌린다. 이미 사육되어 스스로 자유를 던져버린 굴람들은 아자트(자유민)로 살아갈 마음도 없거니와 그럴 방법도 몰랐다. 한때 나르사스가 완전히 똑같은 경험에서 얻었던 씁쓸한 실감을 느끼고는 생각에 잠긴 아르슬란에게 나르사스는 말한다.

"전하는 대도大道를 걷고자 하시니, 부디 그 길을 나아가 주십시오."

그 무렵 왕도 엑바타나에서는 루시타니아의 주요 인물들이 땅에서 솟아난 팔에 습격을 당하는 기괴한 사건이 일어나고 있었다. 사왕 자하크의 재림을 꿈꾸는 마도의 무리들이 저지른 짓이었다. 그러나 이알다바오트 교의 성직자들에게 신도의 괴사는 이교도에 대한 더 큰 잔학행위를 긍정하는 계기가 되었다. 시정을 위해 질서를 확립하려던 왕제 기스카르 공작, 교회의 권력을 더욱 확대하려는 대주교 보댕, 파르스 왕비 타흐미네와 결혼하려는 국왕 이노켄티스 7세. 루시타니아 중추의 혼란은 깊어만 간다. 한편 은가면을 쓴 파르스의 또 다른 왕자 히르메스는 죽은 칼란의 아들인 거한 잔데를 아군으로 맞아 아르슬란을 생포하기 위해 스스로 병사를 이끈다.

한편, 국왕과 왕비를 구출하고 왕도를 탈환하려던 아르슬란 일행은 파르스 최대의 병력을 보유한 동방국경 페샤와르 성새로 향하던 도중 추적대를 피하기 위해 세

방향, 세 무리로 나뉘어 나아가게 되었다.

홀로 남쪽으로 갔던 나르사스는 그 과정에서 한 소녀와 행동을 함께 한다. 소녀의 이름은 알프리드. 날쌔고 강인한 유목민족이자 도적으로도 알려진 조트족 족장의 딸로, 히르메스에게 아버지를 잃고 자신도 위험해졌을 때 나르사스 덕에 목숨을 건진다. 중간에 들른 마을에서 지행술地行術로 살육을 되풀이하던 마도사를 지략으로 꺾은 나르사스. 그러나 알프리드가 칭송과 함께 건넨 말에 당황하고 만다.

"나랑 딱 열 살 차이니까 외우기도 쉽고, 어느 정도 나이 차이가 있는 편이 의지가 되니까. 그래도 앞으로 2년은 기다려야 해. 우리 어머니도 할머니도 증조할머니도 열여덟 살 9월에 결혼식을 올렸거든."

알프리드라는 새로운 동료를 더해 재회한 아르슬란 일행을 잔데가 이끄는 병사들이 습격한다. 아르슬란을 위기에서 구해준 것은 죽음을 알리는 천사 '아즈라일'의 이름을 가진 한 마리의 샤힌(매). 그 매의 주인 키슈바드는 페샤와르에 있는 파르스의 마르즈반 중 한 명이었다. 두 팔에 각각 한 자루씩 검을 들어 '타히르(쌍검장군)'라 불리며 적의 두려움의 대상이 되던 이 용사는 파르스의 혼란을 틈타 국경을 침범하려는 이웃 나라 신두라의 병사들을 물리치며, 행방불명된 왕자를 찾고 있었던 것이다.

무사히 입성하여 옛 지기들과 재회를 기뻐하는 왕자와 동료들. 그러나 페샤와르의 또 다른 마르즈반, 노장 바흐만의 낯빛은 밝지 못했다. 고故 바흐리즈에게 받은 한 통의 편지 때문이었다. 거기에는 파르스 왕가의 혈통에 관한 중대한 비밀이 적혀 있었던 것이다. 게다가 바흐만은 성에 잠입한 히르메스와 맞닥뜨리면서 그의 신상을 알게 되어 더더욱 곤혹스러워한다. 아르슬란을 습격하려던 히르메스가 다륜을 비롯한 동료들에게 포위당하자 바흐만은 자신도 모르게 외쳤다.

"안 되네, 그분을 죽여서는 안 돼! 그분을 해하면 파르스 왕가의 정통한 혈맥이 끊어지고 마네!"

히르메스는 도주하고, 아르슬란은 바흐만의 말에 담긴 의미에 아연실색하는데, 바로 그 순간 급보가 날아들었다. 이웃 나라 신두라의 대군이 마침내 국경을 넘어 파르스를 침공했다는 것이었다.

저무는 해 속의 비가悲歌

동방국경에서 대군 격돌

"라젠드라 왕자. 이런 모습으로 당신과 재회하고 싶지는 않았습니다."

국경 지대의 카베리 강을 넘어 파르스로 침공한 신두라군 5만을 이끄는 것은 신두라의 왕자 라젠드라였다. 형 가데비와의 왕위계승 다툼을 유리하게 이끌고자, 파르스 국내의 혼란을 틈타 영토를 넓히려 한 것이다. 그러나 나르사스의 주특기인 유언비어 전법에 신두라군은 어이없이 무너지고 라젠드라는 생포되었다.

현재 신두라 국왕 카리칼라 2세는 왕위 계승자를 정하지 못한 채 의식불명에 빠져 병상에 드러누워 있다. 그의 두 왕자 중 혈통으로는 형 가데비가 상위이지만 싹싹하고 느긋한 성격의 라젠드라는 병사나 민중의 인기가 높다. 아르슬란은 사로잡은 라젠드라에게 제안한다.

"당신과 공수동맹을 맺고 싶습니다. 우선 당신이 신두

라의 왕위에 오를 수 있도록 도와드리지요.”

싫다고 거부할 수 없는 상황으로 상대를 몰아넣은 후의 설득이었다. 이렇게 아르슬란은 동방국경을 평정하고, 나아가 왕도를 회복하기 위해 가데비 왕자가 이끄는 신두라군과 싸우게 된 것이다.

파르스력 321년이 밝았다. 라젠드라군과 헤어져 진군을 거듭해, 수도로 접어드는 가도를 끼고 있는 구자라트 성새에 도달한 아르슬란군은, 농성 중인 신두라군에 기이브를 사자로 파견하여 라젠드라 측으로 귀순할 것을 권한다. 그날 밤, 성을 지키던 장군들을 몰래 찾아온 이가 있었다. 그는 바로 통역을 위해 기이브의 종자로 선택되었던 신두라 인, 자스완트였다. 원래 가데비 측의 첩자로 라젠드라에게 파견된 자이자, 이를 알아차린 라젠드라가 파르스군에 안내인으로 떠넘긴 인물이었다.

가데비의 장인이기도 한 재상 마헨드라의 일족임을 증명한 자스완트의 말을 믿고 성을 나와 파르스 수송부대에 기습을 가하는 신두라군. 그러나 아군의 첩자인줄로만 알았던 자스완트의 밀고야말로 나르사스의 신랄한 계략이었던 것이다. 위장 수송부대에서는 파르스 병사가 잇달아 나타나고, 순식간에 장수를 잃은 구자라트 성새는 아르슬란의 손에 떨어졌다. 그러나 사로잡힌 자스완트는 흔들림 없이 신두라에 충성을 맹세하고, 아르슬란은 그 당당한 모습에 부대로 돌아갈 것을 허락한다.

다음 전투에 임하려던 어느 날 밤, 혼자 생각에 잠긴 아르슬란. 전투에 동행한 노장 바흐만에게서는 이번 전투가 끝나면 알고 있는 것을 모두 말하겠다는 약속을 얻었는데, 과연 그는 무엇을 알고 있단 말인가.

"다륜, 나는 대체 누구일까?"

그 질문에 다륜은 대답했다.

"전하는 이 다륜에게 소중한 주군이십니다. 그것만으로는 부족하십니까, 전하?"

한편 라젠드라가 이끄는 군대는 가데비와 대결하게 되었다. 약물을 투여하여 흉포해진 전투코끼리 부대에 고전하는 라젠드라. 그러나 구자라트에서 몰래 달려온 파르스군의 도움으로 승리를 얻는다. 참패하여 자스완트의 도움으로 다륜의 검을 벗어난 가데비는 수도로 돌아가 의외의 소식을 접하게 된다. 병상에 있던 국왕이 의식을 되찾았다는 것이다.

국왕 카리칼라 2세가 형제의 다툼에 결판을 짓기 위해 생각한 방법은 각자 대리인을 내세운 아디칼라냐, 즉 신전결투神前決鬪였다. 라젠드라가 대리인으로 선택한 이는 마르단후 마르단(전사 중의 전사)이라 불리는 다륜. 가데비의 대리인인 광전사와 긴 사투 끝에 다륜은 승리하고 동시에 라젠드라가 차기 국왕이 되었으나 가데비는 이 결과에 격앙한다. 혼란 속에서 가데비의 장창에 중상을 입은 바흐만은 끝내 아르슬란에게 비밀을 털어놓지도 못한 채 숨이 끊어졌다.

카리칼라 2세는 곧 세상을 떠나고 가데비도 죽자, 사실상의 국왕이 된 라젠드라는 귀국하는 파르스군을 기습해 아르슬란을 인질 삼아 영토를 차지하고자 획책한다. 그러나 모두 간파당하는 바람에 다시 붙잡혀, 막대한 위자료를 지불하고 앞으로 3년 동안 국경을 침범하지 않을 것을 서약하고 만다. 또한 재상 마헨드라를 가데비의 손에 잃고 섬기던 주인이 사라진 성실한 신두라인 자스완트는 아르슬란에게 부탁하여 함께 루시타니아와 싸우게 되었다.

한편 파르스의 왕도 엑바타나에서는 루시타니아 왕제 기스카르 공작의 부탁을 받은 히르메스가 대주교 보댕 및 3만 성당기사단이 농성을 벌이는 자불 성을 공격하려는 준비를 하던 참이었다. 마르즈반 삼은 행방불명이었던 파르스의 마르즈반 쿠바드를 우연히 발견하여 히르메스의 휘하에 들어오도록 설득한다. 그러나 '허풍쟁이 쿠바드'라 불리던 마르즈반은 자불 성 포위전에 도움을 주기는 하나 히르메스의 인품에 매력을 느끼지 못하고 다시 홀로 동쪽으로 향한다.

그리고 3월 말. 두 가지 포고가 페샤와르 성에 있던 왕태자 아르슬란의 이름으로 파르스 전토에 발령되었다. 왕태자가 직접 거병하여 루시타니아군을 치겠다는 것, 그리고 즉위한 후에는 굴람 제도를 폐지하겠다는 것이었다.

피땀에 물든 대륙공로

아르슬란은 왕도로 향한다

"이 대륙공로가 언젠가 인마의 피와 땀으로 물들 때가 오겠지."

파르스력 321년 4월. 격문을 띄운 페샤와르 성새의 아르슬란에게 각지의 샤흐르다란(제후)이며 영주, 이름난 기사들이 병사를 이끌고 속속 모여들어, 나르사스는 왕태자부王太子府의 조직편성에 바쁘기 그지없었다.

그즈음 은가면 경, 즉 히르메스는 루시타니아 왕제 기스카르의 부탁을 받아 이알다바오트 신의 교권을 내세우는 대주교 보댕과 성당기사단이 농성 중인 자불 성을 삼의 책략으로 함락시킨다. 간신히 히르메스의 손을 벗어난 보댕은 루시타니아 왕실에 복수를 맹세하며 서방의 마르얌으로 달아났다.

한편으로 히르메스의 곁을 떠난 쿠바드는 아르슬란이 있는 페샤와르로 가고 있었다. 하지만 길을 착각해 다이람 지방으로 잘못 들어서고, 이곳에서 약탈에 광분하는 루시타니아 귀족의 사병집단으로부터 민중들을 구해주게 된다. 이때 쿠바드와 함께 루시타니아 병사들과 싸운 젊은 사내가 있었다. 보기 드문 활솜씨를 자랑하는 이 젊은이는 메르레인이라고 했다. 조트족 족장이었던 아버지가 죽어, 차기 족장이 되어야 할 여동생 알프리드의 행방을 찾고 있다는 것이었다. 또한 쿠바드와 메르레인이 보기 드문 호걸임을 알아보고 두 사람에게 도움을 청한 인물이 있었다. 루시타니아에게 침략당해 국왕 일족을 대주교 보댕에게 살해당하고 만 마르얌 왕국의 공주 이리나였다. 앞을 보지 못하는 공주는 얼마 안 되는 종자와 함께 도망쳐, 과거에 왕궁에서 자신에게 친절하게 대해주었던 히르메스 왕자를 만나기 위해 다이람 지방까지 흘러들어온 것이다. 가는 길까지 호위를 청하는 이리나. 히르메스라는 이름을 들은 쿠바드는 거절했으나 메르레인은 동행을 결심한다.

5월. 페샤와르에서 병력을 갖춘 파르스군은 루시타니아가 점령한 왕도 엑바타나를 향해 진격한다. 출격에 앞서 나르사스는 아르슬란과 그의 측근들에게 은가면의 정체와 행동목적을 밝힌다. 아르슬란은 충격을 받으면서도 자신이 해야 할 일을 생각하려 한다.

한편 아르슬란을 돕고는 싶지만 조직적인 군 내부에서

자신이 있을 곳을 찾지 못하던 기이브는 나르사스의 뜻을 받들어 군을 이탈해 혼자 정찰 여행을 떠난다.

자라반트, 이스판, 투스 등 신참 용장들을 적재적소에 배치한 나르사스의 책략이 공을 발휘해 순조로이 진군을 계속하던 파르스군은 루시타니아의 거점인 산 마누엘 성을 함락시키는 과정에서 한 젊은 병사를 생포한다. 에투알이라는 남자 이름을 댄 그 수습 기사 소녀는 본명을 에스텔이라고 하며, 독실한 이알다바오트 교도였다. 성내에 있는 자들이 파르스인들의 손에 넘어가는 것을 두려워해 잇달아 목숨을 끊는 비극을 목격한 소녀는 자신을 살려주겠다는 파르스인들에게 극단적인 저항을 보인다. 그러나 이교도이며 적인 루시타니아인들에게도 어디까지나 정중하게 대하는 아르슬란을 보고 소녀가 그때까지 품었던 가치관은 흔들리기 시작한다.

자불 성을 점거한 히르메스는 엑바타나에 돌아가 왕제 기스카르 공작에게 자신의 신상에 대해 털어놓지만 딱히 감명을 줄 수는 없었다. 그런 히르메스를 암회색 옷을 입은 사내들이 부추긴다.

"영웅왕 카이 호스로의 자손이라는 증거로 보검 루크나바드를 손에 넣어라."

수많은 사람들이 흘린 피로 젊음과 힘을 되찾은 이 마도사는 히르메스에게 도움을 주는 척하면서 사왕 자하크의 재림을 앞당기려 하는 것이었다.

한편 히르메스의 고백으로, 사로잡았던 적국의 왕에게 관심을 품게 된 기스카르 공작은 지하감옥의 안드라고라스를 방문한다. 그러나 그곳에서 그가 본 것은 반년에 걸쳐 쇠사슬에 묶여 고문을 당했던 포로가 그 사슬을 끊고 간수며 호위병들을 쓰러뜨리는 무시무시한 광경이었다. 자력으로 탈출하는 데 성공한 안드라고라스는 기스카르를 인질로 잡고 왕비 타흐미네와 재회한다. 그러나 왕비가 남편에게 한 말은 단 한마디.

"폐하께서 빼앗아간 나의 아이를 돌려주십시오……!"

그리고 아직까지 이 변고를 모르는 아르슬란의 군이 엑바타나로 가는 여정을 3분의 1 가량 답파했을 때, 북방에 있는 파르스의 오랜 적국인 투란 왕국에 전란의 움직임이 퍼지고 있었다.

길 떠난 말의 쓸쓸한 그림자

한 마리 매와 함께 파르스 군을 떠나다

**"나무라셔도 소용없나이다.
부디 따르도록 허락하여 주시옵소서."**

북방의 유목국가 투란이 국경을 넘어 파르스로 침공을 개시했다. 엑바타나로 가는 길 한복판에서 소식을 들은 아르슬란은 농성하며 원군을 기다리는 페샤와르 성새로 즉시 돌아가기로 결심한다.

왕족 중 한 명인 지농(친왕) 일테리시의 지휘로 페샤와르를 포위한 투란군은 단단한 수비에 조바심을 내고 있었다. 그리고 투란의 진영을 손쉽게 돌파하여 우선 파랑기스가 이끄는 선발대가, 나아가 사흘 후에는 아르슬란의 본대가 입성을 이룬다. 그리고 애꾸눈 마르즈반 쿠바드는 겨우 아르슬란군과 합류하는 데 성공한다.

한편 아르슬란 일행과 떨어진 기이브는 홀로 북서쪽의 산악지대를 여행하고 있었다. 지하 깊이 사왕 자하크를 봉인한 탓에 마의 산이라 불리며 두려움의 대상이 되는 데마반트 산. 한때 아르슬란이 주의를 기울였던 그 산에서 기이브는 의외의 인물과 맞닥뜨린다. 은가면 경, 즉 히르메스가 정통 왕의 증거로 보검 루크나바드를 찾아 이 산에 있는 영웅왕 카이 호스로의 능묘로 향하던 것이다. 무덤을 파 루크나바드를 손에 넣은 히르메스. 그때 대지가 진동하며 격렬한 충격이 엄습한다.

"네 기량으로는 루크나바드의 영력을 제어할 수 없어!"

기이브의 탄핵에 분개하는 히르메스. 그때 루크나바드를 지하로 던져 지진을 가라앉힌 것은 히르메스의 부하 잔데였다. 모든 것을 지켜본 기이브는 일단 아르슬란의 곁으로 돌아가고자 결심한다.

이때 루시타니아군은 기묘한 상황에 빠져 있었다. 사실상의 국가 지휘자인 왕제 기스카르 공작이 안드라고라스에게 사로잡혀 엑바타나 왕궁에 갇힌 것이다. 무시무시한 용맹을 떨치며 단신으로 루시타니아 병사들을 위축시킨 안드라고라스. 그의 요구는 왕비와 함께 무사히 왕도를 탈출하는 것이었다. 그 후 병사를 규합하여 다시 싸워, 당당히 승리하고 왕도를 탈환하는 것이 이 명예로운 왕이 선택한 길이었다. 그리고 안드라고라스가 왕도를 탈출함에 따라 풀려난 기스카르 공작은 마침내 나약한 형왕 이노켄티스 7세를 대신하여 명실 공히 루시타니아의 지도자가 되기로 결심한다. 한편으로 그는 안드라고라스와 왕태자 아르슬란 사이에 기묘한 벽이 있음을 깨닫고 이를 이용할 수 없을까를 궁리하고 있었다.

파르스 침공 후 전황이 순조롭지 못해 조바심을 내던 투란군은 마침내 국왕 토크타미시가 직접 군을 이끌고 페샤와르에 공격을 가한다. 전투 속에서 파르스군이 사로잡은 투란의 장수는 오른손으로 검을, 왼손으로 바람총을 교묘히 다루는 짐사라는 무사였다. 투란에 깊이 충성하는 짐사는 탈옥하여 파르스군의 정보를 자신의 진영으로 가져간다. 그리고 짐사의 정보에 움직인 투란군은 나르사스의 책략과 투스의 교묘한 교란에 빠져 장절한 아군 간의 사투를 벌이고 말았다. 전투는 파르스군의 일방적인 승리로 끝난다. 배신자로서 투란군에 쫓기는 몸이 된 짐사는 부상을 입고 쓰러졌을 때 파르스군의 보호를 받아, 아르슬란을 섬기라는 권유를 받고 고민한다. 한편 완패를 맛본 투란군에서는 패기와 결단력이 떨어지는 국왕 토크타미시를 시해한 지농 일테리시가 새로운 왕으로서 투란의 부와 번영을 신하들에게 약속하고 있었다.

루시타니아의 수습기사 소녀 에스텔은 아르슬란의 깊은 호의에 감사하고 파르스군과 헤어져 병자와 아이들을 지키며 여행을 계속하고 있었다. 그러나 고생 끝에 도착한 엑바타나에는 그녀들을 도와줄 사람이 아무도 없었다. 우연히 연금상태인 국왕 이노켄티스 7세를 만나 루시타니아 궁정에서 일어난 변화를 알게 된 에스텔. 결국 그녀를 지탱해줄 수 있었던 것은 아르슬란이 마차에 감추어두었던 파르스의 금화였다.

또한 조트족의 젊은이 메르레인에게 경호를 받으며 여행하던 마르얌의 공주 이리나는 여행 도중 그토록 간절히 바라던 히르메스 왕자와 재회한다. 그러나 아직까지 왕위를 회복하지 못했음을 부끄럽게 여기던 은가면은 이름조차 대지 못한 채 사람을 잘못 본 거라 내뱉고는 떠나가 버렸다.

6월 중순, 왕도에서 탈출하는 데 성공한 안드라고라스와 타흐미네 왕비는 페샤와르 성새에 도착한다. 의외의 전개에 당혹감을 감추지 못하는 왕태자부의 면면들. 안드라고라스는 샤오의 당연한 권리로 아르슬란에게서 병권을 거두고, 어린 왕태자에게 칙명을 내린다.

"남쪽 해안지대로 가 병력을 모아와라. 그 수가 오만에 이를 때까지는 귀환을 허락하지 않겠다."

사실상의 추방이었다. 신뢰하는 부하들을 떠나, 아즈라일만을 데리고 홀로 말머리를 남쪽으로 향하는 아르슬란. 그러나 다륜과 나르사스, 파랑기스, 기이브, 엘람, 알프리드, 그리고 자스완트 이 일곱은 감시의 눈을 피해 페샤와르를 탈출하여 그들의 주군에게 달려간다. 진정한 동료들만을 거느리고 아르슬란의 새로운 여행이 시작되었다.

어지러이 피는 모래폭풍

아르슬란, '바다의 파르스'를 제압하다

"어느 나라에 태어났든 마음을 하나로 해 같은 주군을 섬기면 되는 거다."

부왕에게 추방당하다시피 페샤와르를 떠난 아르슬란이 일곱 동료와 함께 간 곳은 파르스 최대의 항구도시 길란이었다. 남쪽으로는 대해와 인접하여 상인과 어부들의 활기가 넘쳐나는 경제도시. 왕도 탈환을 위한 새로운 전력기반을 이곳에서 구축하기로 한 것이다. 도중에 조우한 조트족 사람들은 다음 족장이 되어야 할 알프리드가 왕태자와 함께 있다는 데 놀라지만 결국 알프리드의 선택을 이해해주고 협조를 약속한다.

길란에 도착하자마자 상선을 습격한 해적들을 상대로 활약을 보이게 된 아르슬란 일행. 전투 도중에 얻은 새로운 동료, 상선 선장 구라즈는 배짱 두둑하고 현실적인 처리능력을 가진 사내였다. 그리고 불법으로 부를 긁어모으던 길란 총독 펠라기우스를 추방하고 그의 재산을 몰수한 아르슬란은 길란을 장악하는 데 성공한다.

한편, 페샤와르에서는 토크타미시를 시해하고 스스로 투란 국왕이 된 일테리시가 안드라고라스를 상대로 돌이킬 수 없는 전투에 나서고 있었다. 루시타니아군과의 전투를 앞두고 조바심을 내는 안드라고라스에게 타히르 키슈바드가 책략을 제공한다. 파르스군에 일방적인 승리를 가져다준 이 책략은 사실 나르사스가 페샤와르를 탈출하면서 키슈바드에게 맡겼던 것이었다. 끝내 병사 한 명 없이 홀로 도망치는 투란 국왕 일테리시. 그의 신병을 암회색 옷을 걸친 두 명의 사내가 확보한다. 일테리시의 몸을 사왕 자하크의 재림에 쓰는 것이 목적이었다.

그 무렵 루시타니아 왕제 기스카르는 엑바타나에서 고뇌의 나날을 보내고 있었다. 형왕 이노켄티스를 유폐하기는 했으나 자신이 직접 죽일 수는 없다. 또한 도망친 대주교 보댕이 용수로를 파괴하는 바람에 엑바타나는 심각한 물 부족에 빠져 있었던 것이다. 때마침 마르얌의 공주 이리나를 사로잡아 엑바타나로 연행했다는 보고가 올라와 기스카르는 형왕을 해치는 데 그녀를 이용해야겠다는 계획을 떠올린다. 함정인줄도 모르고 갇힌 방에서 이노켄티스를 습격하는 장님 공주 이리나. 그러나 그녀가 입힌 부상은 왕의 목숨을 빼앗지는 못했다. 기스카르와 결별하여 왕도를 빼앗고자 결심한 히르메스는 이리나를 구출하고, 추격해온 루시타니아군을 혼란에 빠뜨린다.

이 혼란을 틈타 왕도를 빠져나온 한 쌍의 남녀가 있었다. 조트족의 젊은이 메르레인은 사로잡힌 이리나 공주를, 그리고 루시타니아의 수습기사 에투알, 즉 에스텔은 유폐된 국왕 이노켄티스를 각각 구출하고자 왕궁에 잠입했으나 실패하여 목적을 훗날로 미루게 되었던 것이다. 그 과정에서 여동생 알프리드가 왕태자 아르슬란과 함께 있음을 알게 된 메르레인은 에스텔과 함께 길란으로 향한다.

길란에서는 한때 나르사스와 뜻을 함께 나누었던 샤가드가 해적들을 뒤에서 조종하여 굴람을 매매하며 권리를 탐식하고 있었다. 길란을 점거하고자 획책한 샤가드는 해적왕이 숨겨놓은 보물이 존재한다는 거짓 정보를 흘려 아르슬란 일행이 보물찾기에 나선 틈에 왕세자부를 차지하고자 행동한다. 그러나 옛 친구의 변화를 위험하다고 간파했던 나르사스는 이미 한 가지 계략을 세우고 있었다. 엘람과 알프리드의 활약, 조트족의 협조 덕에 해적들은 일망타진되고 샤가드는 사로잡힌다.

"사람을 사고 파는 것이 뭐가 잘못이란 말이냐."

그렇게 말하는 샤가드에게 아르슬란이 내린 심판은 1년간 노예로서 채찍질을 당하며 일하는 것이었다. 이익을 보호받은 길란의 대상인과 권력자들은 왕태자에게 아낌없는 원조와 충성을 약속한다. 그리고 마침내 합류한 에스텔과 메르레인이 루시타니아 궁정의 혼란에 대한 정보를 가져온다. 때가 무르익었다고 본 아르슬란은 마침내 엑바타나로 떠날 준비를 개시한다.

중상을 입고 페샤와르 성내에 구류되었던 투란군의 패장 짐사는 안드라고라스의 왕도를 향한 출정에 앞서 자신이 산 제물로 바쳐지리란 것을 알고 도주를 시도한다. 이미 고국에는 돌아갈 곳이 없으나 아르슬란 덕에 건진 목숨을 호락호락 잃을 수는 없다고 생각한 것이다. 국왕을 떠나 왕태자에게 충성을 다하려는 자라반트와 힘을 합쳐 성새에서 탈출하는 데 성공하여 아르슬란과의 재회를 기약하고 말을 몬다.

그리고 출진 전야. 타히르 키슈바드는 자신의 방에서 꼼꼼하게 감추어진 종이다발을 발견하고 극심한 동요를 보인다. 그것이 바로 에란 바흐리즈가 노장 바흐만에게 보낸 것이며, 왕태자의 출생에 얽힌 비밀이 담긴 편지임을 알아차린 것이다. 하지만 키슈바드가 내용을 알기도 전에 나타난 왕비가 편지를 요구하고, 이는 국왕의 손에 넘어가 소각된다. 안드라고라스의 한마디와 함께.

"청렴결백한 왕가 따위 이 세상에는 존재하지 않는다."

파르스력 321년 7월 말. 엑바타나의 심각한 물 부족으로 농성이 힘들다고 판단한 기스카르는 25만 병력을 이끌고 안드라고라스와 맞서 싸운다. 이에 맞서는 파르스군의 병력은 10만. 그러나 키슈바드에게는 나르사스가 준 작전이 있었다. 덕분에 굴지의 명장 보두앵을 물리치며 초전은 파르스군의 대승리로 끝났다. 그 무렵, 남쪽에서는 아르슬란의 군세가 다가오고 있었으며 히르메스는 왕도 부근에서 돌입할 기회를 엿보고 있었다.

왕도탈환

강요당한 운명에 맞서다

“만일 제가 왕위에 오를 수 없을 경우, 저 때문에 죽은 이들은 어떻게 되는지요.”

왕도 엑바타나를 탈환하고자 성벽을 포위한 안드라고라스군. 이에 맞서는 루시타니아군은 적군의 규모를 파악하지 못한 데다 초전의 패배와 야습에 따른 동요로 좀처럼 사기가 오르질 않았다. 도망치려는 아군을 베어 죽이면서까지 치렀던 사전死戰도 오래 가지는 못했다. 패배를 깨달은 기스카르는 왕궁의 보물을 모조리 가지고 나가며 엑바타나를 포기하고 재기를 꾀해 서북쪽으로 도망친다.

기스카르와 군대가 빠져나간 틈에 엑바타나 성문을 연 것은 히르메스 왕자였다. 루시타니아의 포악한 지배에 오래도록 괴로워했던 엑바타나 시민은 히르메스의 돌입에 호응하여 봉기한다. 마침내 파르스인의 손에 돌아온 엑바타나 왕성에서 히르메스는 은가면을 벗고 화상에 뒤덮인 맨얼굴을 시민들에게 드러내며 파르스의 정통한 국왕을 자칭하고 나선 것이었다.

한편 항구도시 길란에서 완전한 지배권을 확립하고 막대한 물자와 군자금을 확보한 아르슬란은 루시타니아군 후방의 보급부대에 불을 지르는 등 안드라고라스군을 뒤에서 지원하며 왕도로 향하지만 이미 히르메스 왕자에게 점거당했음을 알게 된다. 병력도 자금도 부족한 히르메스의 지배는 오래 가지 못하리라 내다본 나르사스는 우선 기스카르가 이끄는 루시타니아군을 완전히 토벌할 것을 제안한다. 진정으로 파르스를 침략자의 손에서 해방한 것은 아르슬란이라는 국민들의 인식을 얻기 위해.

기스카르는 작년에 파르스군을 꺾은 아트로파테네 평원에 다시 진을 펼쳤다. 숫자로는 훨씬 우세한 루시타니아군의 전력을 교묘한 작전으로 봉쇄한 아르슬란군은 다륜을 비롯해 새로이 합류한 자라반트, 짐사와 같은 용장들의 무용에 힘입어 완전한 승리를 거둔다. 사로잡은 기스카르를 일부러 풀어준 것은 마르얌에서 여전히 권세를 휘두르는 총대주교 보댕과 루시타니아인들 사이의 골육상쟁을 위한 정략적 타산 때문이었다. 전쟁에 피폐해진 병사들을 쉬게 하는 동안 안드라고라스 왕과 히르메스 왕자의 동태를 살피기 위해 아르슬란은 심복들과 함께 엑바타나로 향한다.

엑바타나에서는 '반역자' 히르메스에 대한 안드라고라스군의 공세가 시작되고 있었다. 그리고 지하수로를 통해 홀로 입성한 안드라고라스가 밝힌 사실은 히르메스의 마음을 산산이 부순다.

"그대는 나의 형 오스로에스의 아들이 아니다. 미신에 사로잡힌 아버지 고타르제스 대왕이 아들의 왕비에게 낳게 한 자식, 다시 말해 나의 동생이지."

그 저주받은 출생의 비밀은 왕위의 정통성에만 의지하며 싸워왔던 히르메스에게는 도저히 받아들일 수 없는 것이었다.

그 무렵, 성 밖에 있던 안드라고라스의 진중을 몰래 찾아온 아르슬란과 재회한 어머니 타흐미네는 담담히 말하고 있었다.

"아르슬란, 너는 나의 아이가 아니다."

태어난 자식이 여자아이였기 때문에, 왕비의 처지를 지키려던 안드라고라스에 의해 이름도 없는 기사의 자식인 아르슬란과 바꿔치기했으며, 비밀을 아는 이는 모두 살해당했다는 것이다. 모든 사실을 안 아르슬란은 왕가를 지키기 위해 치러진 수많은 희생을 생각하며 슬픔을 넘어선 극심한 분노에 사로잡힌다. 그리고 타흐미네와 결별했을 때는 한 가지 결의를 다지고 있었다.

"보검 루크나바드가 왕의 증거라면 나는 그것을 손에 넣겠다. 그리고 파르스의 국왕이 되겠다!"

왕태자 일행은 기이브의 안내에 따라 마의 산이라 불리며 두려움의 대상이 된 데마반트 산으로 영웅왕 카이 호스로의 묘를 방문한다. 극심한 폭풍우에 시달리면서도 아르슬란은 하늘에 외친다.

"루크나바드! 내가 이루려 하는 일이 영웅왕의 뜻에 합당하다면 나의 손에 와 다오!"

대지의 균열에서 눈부신 빛을 뿜어내며 솟아나 아르슬란의 손에 들어온 것은 틀림없는 보검 루크나바드였다. 기적의 현장에 입회한 심복들은 새로이 아르슬란에게 충성을 맹세한다.

한편, 왕도에서 비밀을 끌어안은 채 대관식을 올리려 하던 히르메스는 루크나바드를 들고 나타난 아르슬란에게 격앙하여 1대 1 대결을 청하지만 검의 영력 앞에 어이없이 패한다. 그리고 극한상태였던 시민들의 불만과 불안도 마침내 폭발했다. 물 부족과 식량난에 시달려 성문 안에 갇혀만 있었던 민중은 안쪽에서 문을 열고, 길란에서 풍부한 식량과 물자를 가져온 아르슬란군을 맞아들였던 것이다. 왕태자의 공을 당연하다는 듯 자신에게 돌리려는 안드라고라스. 그러나 아르슬란은 이 명령을 딱 잘라 거절한다. 그때 믿을 수 없는 일이 일어난다. 반쯤 죽은 채 사로잡혀 있던 루시타니아 국왕 이노켄티스 7세, 나약한 침략자가 탑에서 몸을 던진 것이다. 그것도 용맹한 안드라고라스를 길동무 삼아.

아무도 예상치 못했던 결말이지만, 여기에 모두가 구원을 받았다. 파르스의 전 장병들은 아르슬란에게 장악되고, 패배한 히르메스는 이리나 공주와 함께 엑바타나를 떠났다. 그리고 루시타니아를 향해 떠나는 에스텔을 배웅한 아르슬란은 정식으로 즉위하여 파르스의 재건과 자신이 이상으로 삼은 정치를 향해 새로운 첫걸음을 내디딘 것이었다.

그러나 지하 깊은 곳에서는 사왕 자하크의 재림에 대비한 마도사들의 음모가 진행되고 있었다. 보검 루크나바드를 빼앗는 데 실패하고 동지를 잃기는 했으나 그들에게 '그날' 은 착실히 다가오고 있었던 것이다.

가면의 군단

재건된 파르스에 새로운 적이

"결국 나는 적장이 되지 않고선 파르스에 돌아올 수 없는 모양이로군."

파르스력 324년 9월. 갑작스러운 죽음을 맞은 안드라고라스를 대신하여 파르스 국왕으로 즉위한 지 3년, 아르슬란은 열여덟 살이 되었다. 루시타니아군에게 파괴당한 국가를 복구하고 자신이 이상으로 삼는 정치의 첫걸음으로 노예제도 폐지를 감행한 아르슬란은 '사오슈얀트(해방왕)' 이라는 별명으로 칭송받으며 널리 민중의 지지를 얻는다. 그러나 구체제에서 이익을 얻던 자들은 당연히 새 왕의 개혁에 불만을 품었으며, 또한 주변 뭇 국가들도 파르스의 개혁이 가져온 여파가 자국에 미칠 것을 두려워했다.

서쪽의 이웃 나라인 미스르 왕국이 국경을 넘어 진격해왔던 것도 파르스에 노예제도를 부활시키고 자국의 이익을 지키려 했기 때문이었다. 그러나 미스르가 자랑하는 1만 낙타부대는 파르스의 맹장들 앞에 어이없이 무너진다. 어쩔 수 없이 퇴각하는 미스르군. 그러나 그들의 진영에서 조용히 전황을 지켜보는 한 파르스인이 있었다. 오른쪽 뺨에 깊이 도려져나간 듯한 흉터를 가진 이 객장客將은 미스르 국왕 호사인 3세의 부름에 호응하여 도움을 약속하면서, 일이 성사되었을 때의 답례로 '파르스 궁정화가 나르사스의 목'을 요구했던 것이다.

미스르군을 격퇴한 후 파르스에서는 신두라 국왕 라젠드라를 초대하여 하르나크(수렵제)가 치러지고 있었다. 그런데 그 자리에 첩자가 숨어들어 아르슬란의 목숨을 노린다. 또한 누군가가 라젠드라를 납치해 몸값으로 보검 루크나바드를 요구하는 사건까지 일어난다. 아르슬란의 임기응변 덕에 사태는 원만히 수습되었으나 첩자를 뒤에서 조종한 자가 있음은 명백했다. 그때 동방의 튀르크 국이 신두라를 침공했다는 소식이 들어와 아르슬란은 우호국 신두라를 위해 즉시 군을 움직인다. 카베리 강에 가죽끈으로 만든 다리를 걸어 과감하게 건너온 튀르크군을 파르스군은 별 어려움 없이 격퇴하여 그 위력을 과시한다.

파르스 북서쪽의 마르얌에도 3년 사이에 큰 움직임이

있었다. 교황을 자칭한 보댕의 전횡에 사람들이 신음하던 때, 파르스에서 추방당한 루시타니아 왕제 기르카르가 귀환했던 것이다. 보댕의 함정에 빠지면서도 책략을 강구하고 재기의 순간을 노려, 마침내 타도 보댕을 내걸고 일어난 기스카르. 분명히 숫자에서는 유리했던 교황군도, 보댕이 공언한 것과는 달리 상대가 '왕제 전하를 참칭하는 가짜'가 아닌 진짜임을 알자 충성심을 일제히 기스카르에게 돌린다. 대의명분을 잃고 목숨만 건져 전장을 벗어난 보댕은 이내 미스르에 원군을 청한다. 그러나 미스르 국왕 호사인 3세는 보댕에게 가담하는 데 이익이 없다 보고 오히려 기스카르와 손을 잡기로 결심한다.

신두라에서는 튀르크와의 싸움에서 돌아온 라젠드라에게 미스르의 사자가 찾아온다. 오른쪽 뺨에 상처를 가진 사자는 신두라와 미스르가 동맹을 맺어 파르스를 협공하자고 제안하나 거부당하고, 라젠드라를 협박하는 데도 실패하여 도망친다. 미스르 국왕은 돌아온 사내를 '파르스 구 왕가의 생존자' 히르메스 왕자로 꾸미는 계략을 떠올린다. 과거 길란에서 나르사스 일행에게 쓴물을 들이켜야 했던 그는 그 원한을 갚기 위해, 그리고 파르스의 옥좌를 얻겠다는 새로운 야심을 위해 히르메스가 되기로 결심한다. 화상 자국을 만들고자 얼굴을 불로 지지는 고통을 견디면서까지.

한편 튀르크 국왕 카르하나에게는 얼굴 절반을 천으로 가린 사내가 몸을 의탁하고 있었다. 파르스 왕가의 혈통을 이었으면서 결국 옥좌에는 오르지 못했던 히르메스였다. 카르하나의 조언자로서 후한 대접을 받고는 있었으나 아내 이리나를 태아와 함께 병으로 잃은 후였다. 카르하나는 조그만 산악국가인 튀르크를 대륙의 강국으로 발전시키겠다는 대망을 가지고 있었다. 그 바람을 이루기 위한 도움을 주며 히르메스는 자신의 운명이 얼마나 기묘한 것인지 생각했다.

미스르와 튀르크 양국에 존재하는 '얼굴 오른쪽에 상처가 있는' 사내들의 소문은 파르스의 수뇌진들에게도 전해진다. 튀르크의 내정을 살피기 위해 포로를 송환하고 화평을 청한다는 명목으로 기이브와 엘람이 파견된다. 카르하나 왕의 대답은 쌀쌀하기 그지없었다. 쫓겨나듯 귀환길에 오른 일행은 수수께끼의 병사들에게 습격을 당한다. 기괴한 것은 그 병사들이 모두 두건으로 얼굴을 가렸으며, 은가면을 쓴 장병을 다수 거느리고 있었다는 점이었다. 히르메스가 옛 투란 출신 병사들을 모아 조직한 가면군단의 일부였다. 그러나 메르레인이 이끄는 조트족의 출현으로 형세는 역전되고, 히르메스는 메르레인이 휘두르는 복수의 칼날을 간신히 벗어난다.

그 무렵 파르스에서는 중대한 사건이 일어나고 있었다. 누군가가 선왕 안드라고라스의 무덤을 도굴하여 유체를 훔쳐간 것이다. 심지어 지면을 파헤치지도 않은 채, 마도에 몸담은 자의 지행술을 이용한 소행임은 의심할 여지가 없었다.

왕의 깃발은 돌고 돈다

음모가 소용돌이치고, 사태는 혼돈의 늪으로

"피의 주박이 없었더라면 그분의 인생은 좀 더 긍정적으로 바뀌었을 것을."

튀르크 국왕 카르하나의 비호를 받으며 히르메스가 이끄는 가면군단은 신두라에서 마음껏 약탈을 누리고 있었다. 아르슬란은 라젠드라의 요청에 응하여 신두라를 위해 병력을 동원한다. 나르사스가 세운 작전은 장대한 것이었다. 직접 신두라로 향한 것이 아니라 크게 우회하여, 군사적으로는 텅 빈 투란을 지나, 북쪽 국경을 순식간에 돌파해 튀르크로 침입한 것이었다.

싱그 장군이 이끄는 튀르크군은 신두라와의 국경에 전장을 두고 남하하는 파르스군에 맞서려 하지만 참패한다. 신두라 국내로 도망치며 필사적으로 코트카프라 성을 함락시켜 농성을 시작하지만 식량도 부족하여 고립무원 상태가 된다. 신두라군과 합류한 파르스군은 가면군단의 장군을 가장하여 코트카프라 성문을 열게 하고 단숨에 함락시킨다. 또한 허울 좋게 나라에서 쫓겨났던 튀르크의 왕족 카드피세스를 사로잡아, 나르사스는 그를 이용하여 카르하나에 히르메스에 대한 불신의 씨앗을 심는다.

가면군단을 지휘해 충분한 약탈을 행했던 히르메스는 싱그의 합류 명령을 무시하고 일찌감치 튀르크 영내로 돌아가려 하지만 싱그의 한패였던 타리키(군감軍監) 이팜이 합류를 주장하여 대립한다. 튀르크 군감들의 횡포는 예로부터 투란 병사들에게는 불만의 씨앗이었다. 그리고 히르메스의 충실한 부하 브루한이 마침내 분노를 터뜨려 이팜을 베어버린 것이 가면군단이 나아갈 길을 바꾸게 된다.

한편 서쪽의 미스르 왕국에서는 아르슬란의 원정을 아직까지 알지 못하는 국왕 호사인 3세가 파르스 출병 준비를 착착 진행하고 있었다. 얼굴에 화상을 입은 파르스인 사내에게 황금가면을 씌워 히르메스로 삼고 '정통 파르스 왕'을 내세워 싸우려 한 것이다. 황금가면을 진짜 히르메스라 믿고 찾아온 잔데는 다시 히르메스에게 도움을 줄 수 있다는 사실을 기뻐하며 군대를 조직하고 훈련시키는 데 매진한다. 그러나 황금가면과의 대화를 통해 그가 가짜임을 깨닫자 정부 파리자드를 데리고 도망친다. 호사인 3세는 잔데의 역량을 아쉬워하지만, 장군 마시니사는 추적대를 편성하여 반 암습으로 잔데를 없애버리고 만다.

그때 강에 뛰어들어 도망친 파리자드를 우연히 구해준 것은 마르얌의 국사로 미스르를 방문했던 기사 올라베리아였다. 마르얌에서는 루시타니아 왕제 기스카르가 국왕으로 즉위하여 적대하는 보댕을 궁지에 몰아넣고 있었다. 서로 우호관계를 맺는다는 명목으로 미스르를 시찰하던 올라베리아에게 파리자드는 미스르의 내부 사정을 밝힌다. 그 내용에 놀라고, 또한 그녀의 생기 넘치는 미모와 은색 팔찌에 새겨진 파르스의 무늬에 관심을 품은 올라베리아는 파리자드를 마르얌으로 데리고 돌아가기로 한다.

그즈음 튀르크 군감을 모두 죽이고 나아가야 할 새로운 길을 추구한 히르메스는 가면군단을 이끌고 코트카프라 성으로 향한다. 그러나 성에는 농성하고 있어야 할 튀르크군 대신 파르스군이 있었다. 달리 길이 없었던 히르메스는 죽음을 각오하고 돌입을 시도하지만 흑의기사 다륜이 저지한다. 길고 격렬한 사투가 펼쳐진다. 가면군단의 무장 쿠탈미시가 두 사람의 싸움에 끼어든 것은 히르메스의 미미한 열세를 깨달았을 때였다. 긍지에 상처를 입어 격앙한 히르메스는 쿠탈미시를 베어버리고 만다. 자신의 행위가 가져온 결과에 충격을 받으면서도, 진탕에 빠진 명예를 되찾기 전에는 죽을 수 없다며 히르메스는 그 자리를 벗어나고, 가면군단은 괴멸한다.

전투는 끝난 것으로 보였으나, 이윽고 신두라 국왕 라젠드라가 보낸 흉보가 도착한다. 재기를 꾀한 히르메스가 살아남은 백 명 정도의 투란인과 함께 항구도시 말라바르에서 무장상선 반드라 호를 강탈해 바다로 나왔다는 것이다. 사실을 확인한 아르슬란은 히르메스의 신세를 생각하며 몰래 가슴 아파하지만 동정은 히르메스에게 굴욕일 뿐이라는 사실을 잘 알고 있었다.

그러던 때 파르스 왕궁에 날개를 가진 이형의 침입자가 나타나 아르슬란을 습격한다. 사왕 자하크의 종자, 날개 달린 괴물 아후라 비라다가 누군가에 의해 부활했던 것이다. 괴물은 이를 조종하는 마도사와 함께 퇴치되었으나 불길한 마음이 가슴을 스치는 것은 누구나 마찬가지였다. 그날 밤 아르슬란은 전부터 무언가를 우려하는 듯한 태도를 보이던 파랑기스에게, 가능하다면 힘이 되고 싶다는 말을 꺼낸다. 파랑기스는 조용히 과거를 들려준다. 자신의 출생과, 옛 사랑. 그 연인의 좌절과 죽음. 형의 횡사로 신에게 절망했던 연인의 남동생. 그리고 마도에 손을 댄 그와 작년에 재회했던 것을. 아르슬란은 파랑기스의 마음을 알고, 그녀의 삶에서 무언가를 배우고 싶다고 생각한다.

그리고 마도사들은 지하 깊은 곳에서 쭈욱 기다리고 있었다. 4개월 전에 죽었던 그들의 '존사'가 새로운 숙주를 얻어 부활할 순간을.

요사스러운 구름의 무리

준동하기 시작한 괴물들

"이 복수자는 증오에 눈이 멀어 사왕 자하크에게 영혼을 판 것으로 보이네."

엑바타나 왕궁에 아후라 비라다가 나타난 사흘 후. 시장을 산책하던 아르슬란에게 성역비호를 청하는 사내가 있었다. 그의 이름은 할림. 직장인 공중욕탕에서 어떤 손님들의 밀담을 엿듣는 바람에 관리에게 쫓기고 있다는 것이었다. 그 손님들은 왕궁에서 근무하는 법관이었으나 사실은 인간으로 둔갑한 사왕 자하크의 부하, 가브르 네리샤(새 얼굴을 한 괴물)였다. 밀담의 내용은 이랬다.

"자하크 님께서 부활하시는 성하사순절 초까지 데마반트 산에 집결한다."

……사왕 부활의 조짐에 긴장하는 아르슬란과 측근들. 그러나 나르사스는 침착한 목소리로 말한다.

“과거 카이 호스로는 사왕을 꺾었습니다. 사왕은 인간에게 패한 것입니다. 무엇을 두려워하겠습니까.”

주변 국가들이 비집고 들어올 틈이 생기기 전에 강구할 수 있는 수단은 강구해놔야 한다. 아르슬란과 나르사스의 뜻을 받아들여 메르레인, 투스, 이스판 일행이 동쪽으로 향한다. 페샤와르의 병사를 거느리고 자하크가 봉인된 마의 산 데마반트를 봉쇄하기 위해서였다. 성주 쿠바드와 재회한 투스의 곁에는 세 여전사의 모습이 있었다. 재기발랄한 이 미녀들과의 결혼에 얽힌 전말을 이야기하는 투스의 담담한 말을 듣고 놀라움을 감추지 못하는 쿠바드. 이윽고 일행은 2천 병사를 이끌고 떠나며, 모르타자 고개에서는 이스판의 활약으로 카브르 네리샤 두 마리를 사로잡는다. 여기에 자스완트를 더한 파르스의 다섯 장수들은 데마반트 산에 들어섰다.

한편, 얼마 안 되는 투란 병사를 거느리고 신두라에서 강탈한 무장상선으로 미스르 변경의 어촌에 표착한 히르메스는 파르스 상인 라반과 만나 국왕 호사인 3세의 비호를 받고 있는 ‘히르메스 전하’의 존재를 알게 된다. 동요를 억누르고 라반의 말에 귀를 기울이던 중, 그의 가슴속에는 새로운 인생의 지표가 싹트기 시작했다. 그것은 곧 미스르 왕국을 차지하는 것. 브루한을 비롯한 충신들을 준엄히 격려하며 수도 아크밈으로 들어선 히르메스는 잔데의 죽음을 알고 충격을 받지만 원수를 갚겠노라 결심하고 국왕 호사인 3세와 대면해, 정체를 감추고 쿠샤흐르라 이름을 낸다. 하나에서 열까지 마음에 드는 행동을 보이는 이 파르스인 때문에 호사인 3세는 다시 한 번 파르스 침공의 야망을 불태운다. '아민(객장)' 이라는 칭호를 받아, 잔데의 후계자로 기대를 받기에 충분한 역량을 보인 히르메스. 그러나 미스르의 장군 마시니사는 얼굴의 화상을 보고 '이자야말로 진짜 히르메스 왕자가 아닐까' 하는 의구심을 품는다.

한편으로 엑바타나에서 평온한 하루하루가 이어지고 있을 무렵, 파랑기스와 알프리드는 영주의 요청에 응해 아무르(파견감찰관)가 되어 옥서스 지방을 방문하고 있었다. 두 사람은 술레이마니에 계곡에서 마을 사람들에게 무법을 자행하는 젊은이, 영주의 조카 나마르드와, 그를 멋진 봉술로 혼내준 젊은 여인 레일라와 만난다. 영주 문지르는 두 여자 아무르에게 말한다.

"할라르 신전에서 여성들이 잇달아 행방불명되고 있소. 진상을 조사해주었으면 하오."

여신관과 수습 신관으로서 신전에 들어간 두 사람. 마찬가지로 수습으로 일하던 레일라와 재회해 친해진 알프리드는 그녀의 출생에 대해 알게 된다.

"젖먹이 때 다른 두 아이와 함께 신전에 방치되어 있

었다고 해요."

……그녀가 왼팔에 찬 은색 팔찌에는 파르스의 고귀한 자들에게만 허용된 도안이 있었다.

그날 밤, 야음을 틈타 비밀 지하통로에서 신전에 모습을 나타낸 것은 놀랍게도 나마르드였다. 여성들을 납치하고 폭행한 후 학살했던 것은 이 젊은이였던 것이다. 그를 쫓아 지하통로를 나아간 파랑기스와 알프리드는 그곳에서 한 포로를 발견한다. 두 눈이 뽑힌 채 사슬에 묶여 있던 노인은 자신이 바로 진짜 영주 문지르라고 호소한다. 지상에서 문지르라 자칭하던 자는 사실 그의 형 케르마인이었다. 20년 이상 쌓인 증오와 복수, 너무나도 처참한 형제의 관계. 두 사람은 동시에 아무르 파견을 요구했던 케르마인의 진의가 문지르의 아들인 용장 자라반트를, 나아가서는 아르슬란을 타도하는 데 있다는 것, 또한 그 뒤에는 자하크 부활을 꿈꾸는 자들의 음모가 있음을 알게 된다. 구출한 문지르를 나마르드의 손에 잃고 지하에서 탈출을 꾀하는 두 사람에게 쏟아지는 불길. 이 위기에 때 아닌 노랫소리와 함께 나타나 그녀들을 구출한 것은 유랑악사 기이브였다.

그 무렵 데마반트 산에 발을 들인 일행도 위험에 빠져 있었다. 비바람을 피해 들어간 종유동 입구가 낙석으로 가로막혀, 맹장들은 2천 병사와 함께 갇혀버리고 만 것이었다. 이 사태가 우연이 아니라는 것쯤은 누가 보더라도 명백했다.

아르슬란 전기 월드 가이드

작품 속의 용어를 망라하고 지도와 연표도 첨부하였다.
아르슬란 전기의 세계를 깊게 즐기기 위한 가이드.

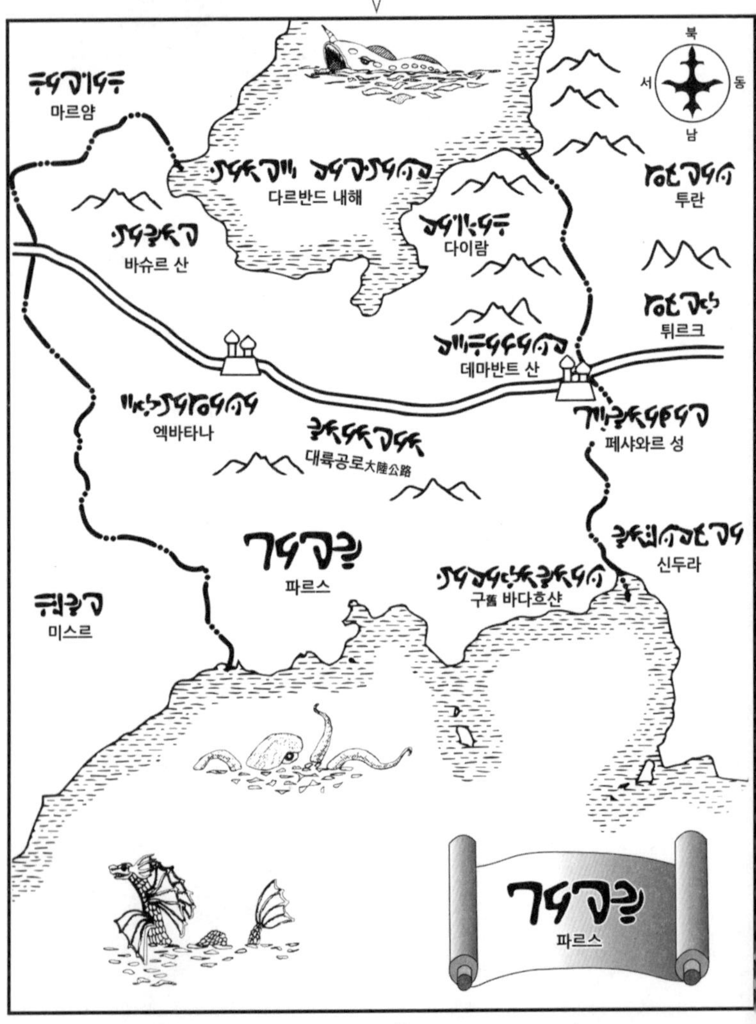
북
서
동
남
마르얌
다르반드 내해
바슈르 산
다이람
투란
튀르크
데마반트 산
엑바타나
대륙공로大陸公路
페샤와르 성
신두라
파르스
구舊 바다흐샨
미스르
파르스

◈ ㄱ ◈

가다크(지행술地行術)

마도의 술법 중 하나. 땅속을 자유로이 왕래하며, 그곳에서 검이나 창을 내질러 지상에 있는 사람을 해칠 수 있다.

가브르 네리샤(새 얼굴을 한 괴물)

인간의 몸에 새의 머리를 가졌다고 전해지는 괴물. 아후라 비라다와 마찬가지로 사왕 자하크의 권속으로 알려졌으며, 지능과 능력이 높아 인간으로 둔갑해 이를 감추는 것도 가능하다고 한다.

가자르(떠돌이)

동물 곡예, 점술, 수공예품 제작, 음악, 무도 등을 생업으로 삼는, 여러 나라를 여행하며 살아가는 민족.

가즈

길이 단위. 1가즈는 약 1미터.

겔라하(원주도시圓柱都市)

파르스 왕국 남서쪽에 펼쳐진 '허무의 사막' 끝에 있다고 전해지는 전설의 도시 중 하나.

겔림(수직手織, 깔개)

짐승의 털을 엮어 만든 깔개. 천막 안 같은 곳에 놓는다.

구울(식시귀食屍鬼)

변경에 출몰한다고 전해지는 괴물의 일종. 인간의 시체를 즐겨 먹는다고 한다.

구울이람츠(조공사술操空蛇術)

마도의 술법 중 하나. 공기가 뱀이 되어 인간에게 휘감기고, 이것으로 목을 졸라 죽인다고 한다.

굴람(노예奴隷)

파르스의 최하급민. 군대에서는 보병부대의 병사를 맡는다. 부유층의 소유물로 간주되며 매매의 대상이 되기도 했다. 파르스력 321년 3월에 발령되어 같은 해 9월에 아르슬란 국왕 즉위와 함께 성립된 '노예제도 폐지령'에 따라 모든 굴람이 해방되어 아자트가 되었다. 다만 대륙공로 주변 국가들 중에서는 아직까지도 노예제도가 존재하며, 파르스와의 외교에서 새로운 불씨가 되고 있다.

궁정화가宮廷畫家

왕궁을 섬기는 화가. 일반적으로는 그림 재능이 특히 뛰어난 사람이 임명되지만 예외도 존재한다.

길란

옥서스 강 하구에 위치한 항구도시. 파르스 왕국 최대의 항구로 번성하였으며 도시의 규모는 왕도 엑바타나에 버금간다. 인구는 40만 정도지만 그중 3분의 1은 외국인이라고 한다. 길란 만灣은 입구가 좁고 안쪽이 넓어져 거의 원형을 이루며, 양쪽에서 튀어나온 곶이 외해의 파도를 막아주어 천연의 항구라 일컬어진다.

나비드(포도주葡萄酒)

포도나 과실로 만든 술.

나키르(죄를 묻는 천사)

파르스 신화에 등장하는 천사 중 하나. 죽은 자에게 생전의 죄를 고백하도록 추궁한다고 전해진다.

노예제도 폐지령奴隷制度廢止令

파르스력 321년 3월 말, 페샤와르 성에 있던 아르슬란 왕태자의 이름으로 발령된 포고. 아르슬란이 왕으로 즉위한 후 파르스 국내의 모든 노예를 해방하고 인신매매를 금지할 것을 명시했다.

니무르드 산령山嶺

파르스의 거의 한복판, 약간 남쪽에 치우친 지역을 동서로 가로지르는 산령. 길이는 200파르상(약 1천 킬로미터)에 이른다. 그리 높지는 않으나 파르스의 기후를 양분한다는 의미에서 중요한 산령.

니자르 하라후르(왕묘관리관王墓管理官)

파르스 문관의 직위 중 하나. 뭇 왕들의 능묘를 관리하는 것이 주요 역할. 지위로는 디비르(궁정서기관)와 견줄 정도. 왕묘 부근의 신전에 보관된 보물을 지키며 뭇 왕들의 기념제 운영을 관장하는 역할도 있다. 이 때문에 격식 있는 귀족을 임명하는 경우가 많았다.

닐기리(푸른 산)

신두라 굴지의 고산. 한여름에도 서늘하다고 한다.

다루게(관리官吏)

파르스 왕국에서 공무를 업무로 삼는 자 전반을 가리키는 말.

다르반드 내해內海

파르스 왕국 북동부, 다이람 지방 북쪽에 펼쳐진 소금호수. 동서 180파르상(약 900킬로미터), 남북 140파르상(약 700킬로미터)의 넓이를 가졌다.

다얀(태양신太陽神)

태양을 신격화한 것으로 투란인의 신앙 대상.

다이람

파르스 북부, 다르반드 내해에 인접한 지역. 나르사스의 영지였으나 그가 안드라고라스 3세의 미움을 사 궁정에서 추방당했을 때 반납했으므로 이후로는 국왕 직할령이 되었다. 북쪽과 서쪽에 다르반드 내해를, 나머지 두 방향에 산지를 끼고 있어 지리적인 독립성이 높다. 내해에서 불어오는 바람이 적절한 비를 내리므로 토지는 비옥하고 농업생산고 또한 높다. 아울러 어업, 제염업도 왕성해 비교적 유복한 지역이라 할 수 있다.

대륙공로大陸公路

파르스 왕국을 중간점으로 삼아 동서로 800파르상(약 4천 킬로미터)씩 펼쳐진 교역로. 파르스 왕국의 경제를 지탱해주는 생명줄.

데마반트 산山

영웅왕 카이 호스로가 사왕 자하크를 봉인했다고 전해지는 산. 카이 호스로의 능이 있다.

독수毒手

손톱을 독액에 적셔, 가볍게 할퀴기만 해도 상대를 죽음에 빠뜨리는 암살 기술의 일종.

디나르(금화金貨)

파르스의 화폐. 아마도 최고액 화폐.

디마스(지하감옥)

지하에 설치된 감옥. 안드라고라스는 엑바타나 왕궁 지하 감옥에서 반 년 동안 유폐되어 있었다.

디브(악귀惡鬼)

흔히 말하는 '악마'로 보인다.

디비르(서기관書記官)

파르스 문관의 직위 중 하나. 궁정에서 일한다.

디즐레 강

파르스 왕국 서쪽 국경, 미스르 왕국과의 경계를 이루는 대하. 수량에 비해 흐름은 완만하며 수심도 얕다. 때문에 양국은 모두 강가에 방벽이나 성벽을 세워 상대의 침공에 대비하고 있다.

◈ ㄹ ◈

라루흐(인어人魚)

파르스의 동화에 등장하는 인물. 상반신은 아름다운 여성, 하반신은 물고기의 모습을 하고 있다고 한다.

라바브(삼현비파三絃琵琶)

악기. 현이 셋 있는 비파의 일종.

라아르(홍옥紅玉)

보석의 일종. 빛을 쪼이면 붉은 광채를 뿜어낸다.

라이샤르(수정 피리)

수정으로 만든 피리. 파랑기스는 이 피리의 소리로 정령과 의사소통하는 능력이 있다.

라이흐스이라흐(콩 수프)

파르스 가정요리의 하나.

라자(국왕國王)

신두라 왕국의 국왕을 이렇게 부른다.

라크슈미

신두라 신화에 등장하는 신 중 하나.

랄레

화훼식물의 일종. 튤립.

레센(흑련黑蓮)

식물의 하나. 줄기에서 얻은 즙과 향유, 양귀비 잎의 즙을 혼합하여 최면성 연기를 발하는 약물을 만든다.

레타크(시동侍童)

신분이 높은 자의 신변을 보필하는 소년.

루다베(측백나무 공주)

왕도 엑바타나의 술집 중 하나. 동서 여러 나라의 상인들이 모인다고 하며, 2층 건물로 가게 안은 언제나 활기가 가득하다.

루바이야트(사행시四行詩)

파르스 시가의 한 형식.

루시타니아 왕국王國

파르스 왕국의 북서쪽, 마르얌 왕국 너머에 있다. 이알다바오트 교 중에서도 강경파인 서방교회파에 속하며, 교의를 전파하고 이교도를 벌한다는 명목 아래 마르야 왕국을 멸망시킨 후 파르스 왕국을 침공했다.

루시타니아 토벌령討伐令

파르스력 321년 3월 말, 페샤와르 성에 있던 아르슬란 왕태자의 이름으로 발령된 포고. 고국 파르스를 침략자 루시타니아인의 손에서 되찾기 위해 모든 파르스인은 왕태자 아르슬란에게 집결하라는 내용.

루크나바드

영웅왕 카이 호스로가 애용했다고 전해지는 보검. '카이 호스로 무훈시초'에서는 '태양의 파편을 벼렸다'는 묘사를 볼 수 있다. 파르스의 왕통을 증명하는 신기 중 하나라 하며, 아르슬란이 왕위에 오르는 데 중요한 역할을 했다.

루티(연예인)

가수나 무도가, 곡예사 등은 물론 점술사, 이발사, 수의사, 약사 등도 포함해 이렇게 부른다. 대체로 열 명에서 서른 명 정도의 집단으로 여행을 하며, 방문한 곳에서 각자 특기를 살려 수입을 얻고 다시 이동하는 생활을 한다.

루티나(여자 연예인)

여성 루티(연예인)를 특히 이렇게 부른다.

루티바시(연예인 두령)

루티(연예인)의 집단을 이끄는 두목.

리카트

사립 학문 교습소.

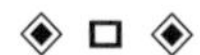

마그파티(대신관)

파르스 국교회에 속한 신직神職중 하나. 매우 고위의 직위로 보인다.

마르단(전사戰士)

파르스에서 용사를 칭송하는 호칭 중 하나. 실전을 경험한 일이 있는 자만이 내세울 수 있다.

마르얌

파르스 북서쪽의 도시. 주요 생산품은 올리브유, 양모, 포도주. 오랜 문화를 자랑하지만 토지는 척박하여 재정적으로는 풍요롭다고 하기 힘들다. 이알다바오트교를 신봉하지만 온건파인 동방교회파가 주류여서 파르스를 비롯한 타국과의 교류도 왕성했다. 이 때문에 강경파인 서방교회가 지배하는 루시타니아 왕국군의 침공을 받아 파르스력 318년에 멸망했다.

마르즈반(만기장萬騎長)

파르스 왕국군 군사 제도의 직위 중 하나. 안드라고라스 3세 치세 때는 말 그대로 1만 기의 기병을 통솔하는 상급지휘관으로 열두 명이 임명되어 있었다. 아르슬란 왕이 즉위한 후에는 명예로운 무인의 칭호로 쓰인다.

마슈바르

파르스의 한 지역. 왕도 엑바타나에서 동쪽으로 떨어진 변경 지역으로 보인다.

마잔다란

영웅왕 카이 호스로와 사왕 자하크가 각자 군세를 끌고 와 마지막 전투를 벌였다고 하는 지역의 이름.

마크타브

주로 아동을 상대로 기초적인 학문을 가르치는 서당. 공립과 사립이 있어 사립을 리카트라 부른다.

말라바르

신두라 왕국 남쪽에 있는 항구도시. 수도 우라이유르에서는 이틀 정도 거리. 신두라 최대의 항구도시로 무역과 해운의 중심지. 거의 원형을 이루는 만灣은 오래된 칼데라에 바닷물이 들어와 형성된 것으로 보인다.

메디나(청동도시靑銅都市)

파르스 왕국 남서쪽에 펼쳐진 '허무사막' 끝에 있다고 전해지는 전설의 도시 중 하나.

메이스(철퇴)

무기의 일종. 단단하고 무겁게 만든 머리 부분을 가진 곤봉으로, 갑옷을 입은 적에게는 도검보다 큰 힘을 발휘한다.

모르타자 고개

왕도 엑바타나로부터 동쪽으로 40파르상(약 200킬로미터) 정도 떨어진 곳에 있는 고개. 대륙공로는 이 부근에서 산간지대로 접어든다.

무르르(유약油藥)

향유, 정유를 포함한 약. 히르메스가 화상 흉터에 사용했던 것을 보면 연고의 일종으로 여겨진다.

무베드(신관神官)

신전에서 신을 섬기는 직업을 가진 자.

무스타우리드(남창男娼)

남색을 파는 자.

물라(선생先生)

마크타브 등에서 학문을 가르치는 자리에 있는 사람. 또는 재능이 뛰어난 사람에 대한 경칭.

미르발란 강

왕도 엑바타나 근교를 흐르는 강. 제1차 아트로파테네 회전 종반, 이 강에서 히르메스가 안드라고라스 3세를 포로로 잡았다.

미스라

파르스 신화에 등장하는 신 중 하나. 계약과 신의를 관장한다고 한다. 만 하고도 천의 귀를 가졌으며 천상

계와 인계를 모두 안다고 전해진다. 황소를 타고 목에 단검을 꽂은 젊은이의 모습으로 나타난다.

미스르

파르스 왕국 남서쪽, 디즐레 강 건너편에 위치한 국가. 기후는 덥고 건조하다. 이 탓에 국토는 디즐레 강과 같은 세 줄기의 강 혹은 그 지류 일대 이외에는 거의 대부분 돌사막이다. 주요 생산품은 융단, 향유, 용연향, 금세공품 등.

미스칼(동화銅貨)

파르스의 화폐. 가장 소액의 화폐로 보인다.

바니팔

미스르의 항구도시. 디즐레 강의 하구에 인접하고 있다.

바다흐샨

파르스 남동쪽, 신두라 왕국과의 국경에 인접한 일대를 가리킨다. 과거에는 '바다흐샨 공국公國'이 있었으나 파르스력 303년에 파르스 왕국으로 병합되었다. 토지는 바위산과 돌사막이 대부분을 차지하며 군데군데 위치한 오아시스를 제외하면 거의 무인 황야에 가깝다.

다만 지하자원이 풍부하며 특히 라아르(홍옥紅玉)는 주요 생산품 중 하나로 손꼽힌다.

바르나

신두라 신화에 등장하는 신 중 하나.

바르바트(수금竪琴)

악기의 일종. 기이브가 잘 켠다.

바슈르

나르사스가 은거했던 산계山系.

바스푸흐란(왕족王族)

파르스 신분제도의 최상급층. 왕과 왕의 혈연을 가리킨다.

바하네(만담漫談)

파르스 고유의 예능 중 하나. 가벼운 이야기나 우스꽝스러운 동작으로 관객들을 웃기는 것.

바흐람(화성火星)

①불그스레한 색을 띤 행성.

②이스판이 기르는 새끼 늑대의 이름(인명사전 참조).

반데잔

파르스에서 나는 풀의 이름. 이 풀의 즙을 건조시켜 가루를 내 향료와 섞은 것은 고통을 누그러뜨리는 약으로 쓰인다.

베레스그나

파르스 신화에 등장하는 신 중 하나로 승리의 신.

베레스라그나

파르스 신화에 등장하는 신 중 하나로 승리의 신. '베레스그나' 라고도 한다.

베이레(진주眞珠)

파르스 해안지방에서 나는 것은 특히 알이 굵어 귀하게 여겨진다.

불불(나이팅게일)

파르스 동부 산악지대를 중심으로 서식하는 야행성 새. 무리를 지어 살며 '수정피리 소리' 라 형용하는 맑고 높은 울음소리를 낸다.

브라흐만(궁정고문관宮廷顧問官)

파르스 왕궁의 직위 중 하나. 여러 가지 일에서 국왕의 상담을 맡는다.

비스탄두드(핫케이크)

파르스의 가정요리 중 하나. 물에 갠 밀가루 반죽을 철판에 올려 구운 것.

사르하드

파르스력 321년 8월 6일 이른 아침, 안드라고라스 3

세가 이끄는 파르스군 10만과 기스카르가 이끄는 루시타니아군 21만이 격전을 펼친 평원.

사마누

밀가루를 푼 반죽에 엿기름과 설탕을 넣고 구운 과자.

사만간

투란 왕국의 왕도. 유목국가여서 정착사상이 희박한 투란인들도 지배를 위한 근거지는 필요하기 때문에 세워졌다. 크고 작은 2만여 개의 천막으로 구성되어 있다.

사오슈얀트(해방왕解放王)

아르슬란의 별명. 루시타니아에 점령당한 국토를 해방했으며, 노예제도를 폐지하고 모든 노예를 해방했기 때문에 붙은 이름. 이 이름을 처음 말한 것은 기이브라고 전해진다.

사키아스(미녀정美女亭)

길란에 있는 요리집 중 하나. 경영자는 나르사스의 먼 친척 샤가드의 정부라고 한다.

사트라이프(중서령中書令)

왕태자가 국왕을 대신해 국정을 관장할 때 그의 보좌관에게 주어지는 직함. 사실상의 재상이라 할 수 있다.

사프디

길란 남동쪽 해상 10파르상(약 50킬로미터)에 위치한 작은 섬.

산 마누엘 성城

왕도 엑바타나 동쪽, 수렵지로 유명한 샤흐리스탄 평야 부근에 있는 성터. 루시타니아 왕국군이 파르스 침공 때 수복하여 거점으로 삼았다.

샤르바트(과당수果糖水)

과당을 함유한 달콤한 음료.

샤브카밀(검고 거대한 날개)

파르스의 고어 표현으로 '밤'을 뜻하는 관용구.

샤오(국왕國王)

파르스의 국왕을 가리킨다. 사오슈얀트 아르슬란 즉위 전까지 샤오는 영웅왕 카이 호스로의 후예라 전해졌다.

샤흐르다란(제후諸侯)

파르스 귀족 중 영토를 가지고 사병을 거느린 자들을 가리킨다. 안드라고라스 3세 치세 당시 파르스에는 100명 정도의 샤흐르다란이 있었던 것으로 보인다.

샤흐리스크(지방장관)

파르스 정치제도의 직위 중 하나. 지방, 지역을 통치하기 때문에 국왕의 신임을 받아 파견되는 고위 관리.

샤흐리스탄 평야

왕도 엑바타나 동쪽에 있는 평야. 파르스 5대 사냥터 중 하나로 알려져 있다. 넓이는 동서로 5파르상(약 25킬로미터), 남북으로 4파르상(약 20킬로미터)에 이르며 초원과 삼림, 늪지대 등 지형은 다양하다. 사냥감이 되는 동물들도 매우 풍부하다.

샤힌(매)

맹금류에 속하는 조류의 일종. 지능이 뛰어나 인간의 좋은 반려가 된다.

세리카

파르스 왕국의 먼 동쪽에 있는 나라. 비단의 나라라는 뜻. 고도한 문명과 독특한 문화를 가졌다고 한다. 대륙공로 동쪽 끝은 이 나라로 이어진다. 주요 생산품은 비단, 도자기, 차, 종이.

세칸제빈(초밀을 끼얹은 셔벗)

새콤달콤한 꿀을 끼얹은 빙과. 상큼하고 엷은 단맛이 특징.

쇼라 세라니(맹호장군猛虎將軍)

다륜의 별명 중 하나.

수루시(생명을 알리는 천사)

①파르스 신화에 등장하는 천사 중 하나.

②키슈바드가 키우는 매의 이름. 아즈라일의 형제. 루시타니아 점령 당시 엑바타나의 동태를 살피기 위해 키슈바드가 잠입시켰던 잔지(흑인 노예)에게 붙여주었으나 정체를 알아차린 히르메스에게 죽임을 당했다(인명사전 참조).

술레이마니에

왕도 엑바타나에서 대륙공로를 따라 동쪽으로 간 곳에 있는 성새도시.

스이브(사과)

장미과 낙엽고목에 열리는 과실.

시르(사자)

파르스에서는 모든 동물의 왕으로 일컬어진다.

시르기르(사자사냥꾼)

파르스에서 용사를 칭송하는 호칭 중 하나. 사자를 쓰러뜨린 경험이 있는 자에게만 이를 칭할 자격이 주어진다. 안드라고라스 3세는 열셋, 아르슬란은 열여덟 살에 '시르기르'가 되었다.

시바

신두라 신화에 등장하는 신 중 하나.

시스탄 후국侯國

이미 멸망한 국가명. 기이브가 타흐미네의 시녀를 유혹할 때 그 나라의 왕자임을 칭했다.

시크(반수인半獸人)

데마반트 산 주변에 서식한다고 전해지는 괴물 중 하나.

시클론

여름철이면 이따금 신두라 왕국을 엄습하는 폭풍우를 말한다.

신두라

파르스 왕국 남동쪽 카베리 강 건너에 위치한 국가. 주요 생산품은 상아, 가죽 제품, 청동기. 라젠드라 2세 즉위에 앞서 내분을 해결하는 데 파르스군이 '아주 약간' 도움을 준 데에서 파르스력 321년부터 3년 동안 상호 국경 불가침 등을 규정한 조약을 체결하고, 이후로는 긴장감이 감돌기는 해도 평화로운 관계를 구축하고 있다.

아그니

신두라 신화에 등장하는 신 중 하나.

아나히타

파르스 신화에 등장하는 신 중 하나. 물의 여신이며 황금 관을 쓰고 비버 가죽 옷을 걸친 모습으로 표현된다. 출산의 여신이기도 하다.

아달라(창)

무기의 일종. 긴 자루 끝에 양날 칼을 달아놓았다.

아드하나 다리

페샤와르 성새 서쪽 8아마지(약 2킬로미터) 정도 지점에 설치된 목제 교량. 이 다리를 기준으로 상, 하류 각각

3파르상(약 15킬로미터) 이내에는 다리를 놓을 만한 장소가 존재하지 않아, 페샤와르 성새로 오려는 군대는 모두 이 다리를 통과해야만 한다고 일컬어지는 중요거점.

아디칼라나(신전결투神前決鬪)

신두라 왕국에서 치러지는 특수한 재판 형식 중 하나. 서로 다투는 두 사람이 무기를 들고 결투하며, 승자를 신들의 이름으로 정의라 인정한다.

아마지

길이 단위. 1아마지는 약 250미터.

아무르(파견감찰관)

국왕이 임명하며, 국내 곳곳의 실상을 조사하는 직위.

아민(객장客將)

미스르 왕국의 군사제도에서 타국의 무인을 막료로 초빙할 때 쓰는 호칭.

아민루흐(객장군부客將軍府)

미스르의 군사 막료가 된 이국인(아민)의 근거지가 되는 저택.

아바(외투外套)

코트. 추위나 바람을 막기 위해 몸에 걸치는 겉옷.

아사신(암살자暗殺者)

몰래 중요인물을 살해하려는 자. 원래는 파르스어지만 이미 대륙공로 주변 국가들의 공통단어가 되었다.

아슈리알

미스르 서부에 있는 한 지방.

아스타그페롤라(죽어도 싫어)

파르스어의 구어 표현. 경멸을 담은 거절을 뜻한다.

아시

파르스 신화에 등장하는 미와 행운의 여신. 처녀의 수호신이기도 하다(인명사전 참조).

아와(유랑 가수)

손님을 찾아 시내를 돌아다니는 가수.

아자탄(기사騎士)

신분제도에서는 바스푸흐란, 바주르간 다음이다. 군제에서는 기병부대의 장교를 맡는다.

아자트(자유민自由民)

파르스의 시민계급. 신분제도에서는 바스푸흐란, 바주르간, 아자탄 다음이다. 군대에서는 기병부대의 보병, 보병부대의 장교를 맡는다.

아즈라일(죽음을 알리는 천사)

①파르스 신화에 등장하는 천사 중 하나. 아름다운 모습을 하며 신들의 뜻을 받아 인간에게 죽을 때를 알려주는 역할을 가졌다고 한다.

②키슈바드가 키우는 매의 이름(인명사전 참조).

아지다하카(삼두룡三頭龍)

변경 카프 산에 서식한다고 전해지는 전설의 괴물. 쿠바드가 왼쪽 눈을 잃었던 것은 이 삼두룡과 싸우다 부상을 입었기 때문이라고 본인은 주장한다.

아질(성역비호聖域庇護)

파르스만이 아니라 대륙공로 주변 국가에 공통된 관습 중 하나. 누군가에게 쫓기는 사람이 왕족이나 상급신관 등 신분이 매우 높은 자에게 비호를 받는 것. 옷자락 혹은 소매를 건드리거나 상대가 탄 말의 꼬리를 건드리는 행위로 성립되며, 한번 아질이 이루어지면 명백한 범죄자라 하여도 관리의 손에 넘어가지 않고 왕궁이나 신전에 보호를 받으며, 다시 한 번 면밀한 조사가 이루어진다.

아크레이아 성城

마르얌 왕국의 변경, 다르반드 내해 북서쪽 해안에 위치한 성새. 동쪽은 바다, 서쪽은 늪지대, 북쪽은 절벽과 인접해 난공불락을 자랑한다. 루시타니군이 마르얌을 침공했을 때, 이리나 공주를 비롯한 마르얌 왕가의 생존자가 최후의 거점으로 삼아 농성했던 곳.

아크밈

미스르 왕국의 수도. 인구 50만에 이르는 왕국 최대의 도시. 북방으로 열린 항구를 통해 마르얌이나 루시타니아 같은 나라와 이어져 있다.

아키케나스(단검短劍)

한손으로 사용하는 소형 검. 파르스 기사는 장검과 함께 휴대하는 경우가 많다. 보석이나 금박 등을 이용해 장식성을 높인 것도 있다.

아타나토이(불사대不死隊)

파르스군 국왕친위대. 엄선된 기사 5천 기로 이루어졌다.

아트로파테네

파르스 북서쪽의 평원. 파르스력 320년 10월 16일, 안드라고라스 3세가 이끄는 파르스군은 이곳에서 루시타니아 기병부대와 싸워 참패했다. 전투 종반에 전장을 이탈한 안드라고라스 3세는 히르메스의 손에 붙잡혀 루시타니아군의 포로가 되고 왕도 엑바타나는 함락당한다. 이후 왕태자 아르슬란은 다륜, 나르사스와 함께 파르스의 재건과 루시타니아군 토벌을 목표로 삼는다.

아후라 비라다(날개 달린 원숭이 괴물)

인간인지 원숭이인지 알 수 없는 몸에 박쥐를 연상케 하는 커다란 날개가 돋아났다. 송곳니와 발톱에는 생물을 썩게 만드는 독을 지녔으며 인간의 고기, 특히 어린아이나 젖먹이의 고기를 즐긴다고 한다. 사왕 자하크의 권속.

안길라크 언덕

왕도 엑바타나 북방 5파르상(약 25킬로미터) 부근에 있는 조용한 구릉지대. 고타르제스 2세를 비롯한 여러 선왕들의 능묘가 있다.

알라바스터(설화석고雪花石膏)

석고의 일종. 매우 가느다란 입자의 석고가 치밀하게 뭉쳐 산출된 것. 질이 좋은 알라바스터는 장식용 조각 소재로 쓰인다.

알레프바(파르스 문자)

파르스어를 표기하기 위해 쓰이는 문자.

야샤스인(전군 돌격全軍突擊)

파르스 기병대 지휘관이 전군 돌격을 명령할 때의 호령.

에란(대장군大將軍)

파르스 왕국군의 최고지휘관. 샤오의 신임을 받아 전군을 통솔한다. 국왕이 친정할 때는 부장副將을 맡는 경우가 많다.

에흐타로키아

파르스 신화에 등장하는 마물의 일종.

엑바타나

파르스의 왕도. 높이 12가즈(약 12미터)에 이르는 견고한 성벽으로 에워싸인 시가지는 동서로 1.6파르상(약 8킬로미터), 남북으로 1.2파르상(약 6킬로미터)에 이르는 광대한 면적을 자랑한다. 아홉 곳의 성문에는 2중 철문을 설치해 외적의 침입을 막아낸다. 내부에는 고도한 도시계획에 따라 질서정연하면서도 아름다운 거리가 펼쳐져 있다.

엘 에란(대장군격)

아르슬란 왕의 치세에서 대장군은 키슈바드가 맡게 되었으나, 이때 대장군 후보에 올랐으면서도 고사했던 두 사람, 다륜과 쿠바드를 이렇게 부른다. 신생 파르스군 최고지휘부는 이 세 사람으로 이루어졌다.

엘마차이(사과차)

홍차에 사과 향을 가미한 것. 식후에 마시는 경우가 많다.

오달리스크(후궁後宮)

국왕의 아내와 첩이 살며 여관이 봉사하는 궁전 안쪽 깊은 곳의 방.

옥서스

파르스 왕국 중부의 한 지방. 영주는 문지르 경.

옥서스 강

니무르드 산령에서 시작하여 파르스 남부 지역을 세로로 관통하고 바다로 흘러드는 대하의 이름. 눈석임물과 지하수가 모인 풍부한 수량을 자랑하며, 건조한 파르스 남부 지역에서 귀중한 수자원이 되고 있다. 하구 지역에는 항구도시 길란을 끼고 있다.

왕태자

왕자 중에서도 공식적으로 왕위계승권을 인정받은 자.

우드(비파琵琶)

목제 현악기.

운향芸香

향의 일종. 불에 태우면 오렌지와 비슷하지만 더 강한 향을 발한다. 아후라 비라다, 가브르 네리샤와 같은 괴물은 이 향기를 싫어한다고 한다.

움나카트

미스르 왕국 동남쪽 해안에 인접한 한 지방.

유즈(눈표범)

파르스에 서식하는 고양이과 동물.

이라클리온

마르얌 왕국의 왕도.

이알다바오트

루시타니아 왕국, 마르얌 왕국의 국교. 유일절대신 이알다바오트 신을 섬긴다. 신도는 평등함을 내세우는 한편 다른 종교를 믿는 '이교도'를 지상에서 일소하라고 신도들에게 명령한다. 여러 종파로 나뉘어져 있으며 그 중에는 대립하는 파벌도 있다. 이알다바오트란 고대 루시타니아어로 '성스러운 무지無知'라는 뜻(인명사전 참조).

인드라

신두라 신화에 등장하는 신 중 하나.

인퀴시티아(이단심문관異端審問官)

이알다바오트 교의 신관 중 인물, 물품, 서적 등이 이 교의 가르침을 따르는 것인지 아닌지를 판단하는 자격을 가진 자를 말한다.

◈ ㅈ ◈

자라프리크

튀르크 남쪽, 신두라와 국경을 이루는 고개.

자불 성

왕도 엑바타나의 북서쪽 50파르상(약 250킬로미터) 부근에 있는 성. 대륙공로에서 반 파르상(약 2.5킬로미터) 떨어진 바위산에 세워져 있어 파르스와 마르얌의 교통을 지키는 데 중요한 거점이었다.

자카리아

마르얌 왕국의 거의 중앙에 위치한 평지. 물이 부족하고 기후도 나쁜 데다 토지도 척박하기 때문에 완전한 불모의 땅이 되었다. 다만 세 개의 주요 가도가 부근을 지나고 있어 병사를 움직이는 데에는 중요한 장소라고 할 수도 있다. 파르스력 323년 가을, 교황 보댕과 기스카르가 각각 군을 이끌고 격전을 벌였다.

잔비 왕국王國

호두와 육계(시나몬)가 특산물.

잔지(흑인노예黑人奴隸)

노예 중 피부가 검은 이들을 특히 이렇게 부른다.

재스민

물푸레나무과 재스민속 식물의 총칭. 열대, 아열대지방에서 난다. 노란색, 흰색의 통 모양 꽃을 피우며 특유의 향을 낸다.

제리아

화훼식물의 일종. 가장자리는 자청색이지만 중심으로 갈수록 점점 희어지는 다섯 장의 꽃잎을 가진 꽃을 피운다.

조트족族

파르스 중부에서 남부에 걸쳐 펼쳐진 사막과 바위산을 세력범위로 삼는 유목민. 날쌔고 용맹하다. 때로는 각국의 용병으로 활약하거나 도적단을 조직해 대상을 습격하기도 한다.

조트의 흑기黑旗

파르스력 321년 6월, 아르슬란(당시 왕태자)과 조트족이 길란에서 체결한 맹약의 증거로 왕태자부가 조트족에게 기증한 깃발. 검은 비단에 가장자리만을 황금색으로 장식한 단순한 모습이었으나 오히려 용맹한 조트족을 잘 나타냈다고 일컬어진다.

주르반 아르카나(시간신時間神)

파르스 신화에 등장하는 신들 중 하나. 시간의 운행을 관장한다고 한다.

주마인드 평원

파르스력 321년 7월 말, 루시타니아 전초부대와의 전투를 이튿날로 앞두었던 파르스군이 야영지로 선택한 평원.

지농(친왕親王)

투란 왕가의 일원을 가리키는 경칭.

진(정령精靈)

파랑기스는 수정 피리 소리로 이들과 대화하는 능력을 가진 것으로 보인다. 저녁 태양이 지기 시작할 때까지는 눈을 뜨지 않는다고 한다.

◈ ㅊ ◈

차보슈(대상안내인隊商案內人)

대상에게 고용되어 여행의 앞길을 인도해주는 여행 전문가. 대상보다 먼저 행동하며 카라반사라이(대상여관)를 수배하고 식량을 조달하며 지역 공무원과의 교섭, 여정의 정보수집 등 여행에 관한 모든 일을 관장한다.

차숨 성城

페샤와르 성새 서쪽, 데마반트 산계山系를 북쪽으로 내다보는 곳에 급조된 루시타니아 왕국군의 성새. 대륙공로에서 반 파르상(약 2.5킬로미터) 정도 떨어진 언덕 위에 세워졌다. 관목 덤불이나 단층에 에워싸여 공략은 매우 어려울 것이라 여겨졌으나 나르사스의 계략으로 겨우 하루 만에 무력화되었다.

찬디가르 평원

신두라 왕국 북쪽에 있는 분지. 왕위를 다투는 라젠드라 왕자와 가데비 왕자는 이곳에서 전투를 개시했다.

참바

신두라 북서쪽의 성새도시. 파르스력 325년 1월, 신두라 북서부 지역을 뒤흔든 '가면군단'의 습격을 제일 먼저 받은 곳.

창갈리

별 모양을 한 조그만 빵.

창난타쓰후(江南的四虎, 강남의 네 마리 호랑이)

세리카에서 용명을 떨치던 4인조 검사. 대하를 건너는 배 위에서 다륜과 사투를 벌였다고 한다.

천기장

파르스 왕국군 군사제도의 직위 중 하나. 마르즈반의 아래이며 천 기騎를 통솔하는 중급 지휘관.

철쇄술鐵鎖術

파르스 왕국 남쪽에 위치한 나바타이 국에 전해지는 무술 중 하나. 굵은 쇠사슬을 무기로 사용한다. 잔지(흑인노예)가 사슬에 묶인 몸으로 잔학한 주인에게 대항하기 위해 창안해냈다고 전해진다. 아르슬란 진영에서는 투스가 철쇄술의 고수이다.

체로와(흰 쌀밥)

정미한 쌀로 지은 밥.

치이(홍차紅茶)

찻잎으로 만든 음료.

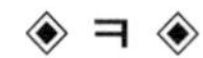

카간(국왕國王)

투란 왕국에서 국왕을 나타내는 말.

카라 데긴(철문鐵門)

카베리 강 상류 및 중류 유역, 파르스, 신두라, 튀르크 3개 국경이 인접한 지점. 철 성분을 다량 포함한 암반이 노출되어 벽을 이루며 강 양쪽에 우뚝 서 있다.

카라반사라이(대상여관隊商旅館)

가도를 따라 설치된 역참 중에서도 대상의 숙박을 위해 만든 것을 가리킨다.

카란자리

포도 품종의 하나. 어두운 보라색 열매를 맺는다. 옥서스 지방 하마무르 계곡에서 재배된 것을 최고로 친다.

카레즈(지하용수로地下用水路)

지하에 판 관개용 용수로.

카베리 강

파르스 왕국의 동방국경. 신두라 왕국과의 경계를 이루는 대하.

카부트

볶은 콩가루를 설탕과 섞어 굳힌 과자.

카이반(토성土星)

①천공에서 매우 밝게 빛나는 행성 중 하나.

②이스판이 기르는 새끼 늑대의 이름(인명사전 참조).

카치

버터와 설탕으로 맛을 낸 밀가루죽.

카테

파르스 가정요리의 하나. 밥을 일부러 태워 짓고 뜨거운 수프를 끼얹어 먹는다.

카히나(여신관女神官)

신전에서 수행하며 제례를 관장할 자격을 얻은 여성.

케사크(단궁短弓)

보통 활보다도 작아 사정거리는 짧지만 기민하게 사용할 수 있다. 엘람이 선호한다.

케슈락(편지배달부)

고객에게 의뢰를 받아 멀리 떨어진 지방에 편지를 전

해주는 직업. 대부호는 전속 케슈락을 고용하는 경우가 많다. 서민들은 비슷한 지역에 편지를 전하고 싶은 사람들이 돈을 갹출하여 케슈락을 고용하는 것이 일반적.

케파르니스

마르얌 왕국 서부 해안에 세워진 성새. 파르스력 322년 6월, 기스카르가 반 보댕 세력의 맹주가 되어 병사를 일으킨 곳.

코지아

길란 교외에 있는 언덕. 시가지와 항구를 한 눈에 내려다볼 수 있다.

코트카프라 성

신두라 왕국 북서쪽 지방에 있는 도시. 파르스력 325년, 싱그가 이끄는 튀르크군은 이 성새도시를 공략하여 본거지로 삼고 전력을 회복하고자 했다.

코프테

요리의 하나. 으깬 어육을 경단 형태로 빚고 꼬치에 꿰어 구운 것.

크샤트라 바이랴(바람직한 왕토王土)

파르스 신화에 등장하는 낙원의 이름.

키세(수세미 자루)

수세미 열매의 섬유만을 뜯어낸 것. 목욕하며 몸을 씻는 데 쓴다.

키즈일(생명의 물)

파르스 식 새해 행사에 쓰이는 액체. 국왕이 직접 투구에 길어 가져온 샘물에 장병 대표가 헌상한 포도주 한 잔을 더한 것.

◈ ㅌ ◈

타르(역청瀝靑)

원유에서 휘발성분이 증발하고 남은, 끈적거리는 반고형성분. 방수 및 방부에 이용한다.

타리얍

신두라 북서부에 있는 구릉지대. 코트카프라 성에서는 사흘 정도 거리.

타리키(군감軍監)

왕의 대리로 전투부대를 따라오는 역직. 부대의 공적을 기록하고 보고하는 일을 맡는다.

타야미나이리(두 왕이 떨어진 탑)

왕도 엑바타나에 있는 왕궁 북쪽의 탑. 그때까지는 단순히 '북쪽 탑'이라 불렸지만, 파르스력 321년 8월 25일, 루시타니아 국왕 이노켄티스 7세가 안드라고라스 3세를 길동무 삼아 투신자살한 데서 이런 이름이 되었다.

타주라

미스르 왕국 움나카트 지방에 있는 가난한 어촌. 파르스력 325년 5월 말, 히르메스가 이끄는 가면군단의 잔존세력이 상륙한 토지.

타히르(쌍검장군雙劍將軍)

키슈바드의 별명 중 하나. 두 자루의 검을 두 손에 나눠 들고 자유로이 다루는 검술을 구사하기에 이런 별명이 붙었다.

텔락(욕탕 도우미)

흔히 말하는 때밀이. 공중욕탕에서 일하며 손님들을 챙겨주고 수입을 얻는다.

템페레시온스(성당기사단聖堂騎士團)

루시타니아 국교회가 거느린 사병 집단. 총 신원은 2만 4000기로 그리 대규모라 할 수 없으나 종교적 권위를 배경으로 삼고 있어 이알다바오트 교도들을 상대할 때는 압도적인 힘을 발휘한다.

투란

파르스 왕국 북방에 펼쳐진 초원지대를 세력권으로 삼는 국가. '초원의 패자霸者'라 불리며 파르스와는 오랜 세월에 걸쳐 적대관계. 유목을 하며, 타국에 쳐들어가 약탈을 벌여 국가를 유지하고 있다. 그들의 전투는 날래고 용맹하기 그지없다고 하며, 특히 평야 전투에 강해 파르스 기병대마저도 고전을 면치 못할 정도. 주요 생산품은 말.

튀르크

파르스 동부, 신두라 남부에 위치한 산악국가. 카베리 강의 원류는 이 나라에 있다. 만년설과 빙하를 품은 고산과 그 사이에 드문드문 존재하는 분지 및 계곡으로 구성된 국토는 복잡하여 외적의 침입을 막는 천연요새의 역할을 한다. 산지는 불모지대지만 계곡이나 분지는 나름 비옥하며 암염이나 은도 산출되어 국력은 충실하다. 원래 튀르크인은 투란인과 같은 조상을 가졌으며 대륙 오지에서 목축업을 했지만, 500년쯤 전에 일어난 내분으로 분열되었다. 그중 한 일파가 산간지대로 도망쳐 튀르크 국을 세웠다고 한다.

트라이칼라

마르얌 왕국 변경, 황량한 계곡에 세워진 성새. 겨울에는 혹한, 여름에는 고온다습에 시달리는 환경이라 이곳에 보내진 죄수는 1, 2년 안에 쇠약해져 죽는다고 한다.

티슈트리야

파르스 신화에 등장하는 신 중 하나. 손바닥에서 벼락을 뿜어내 적을 쳤다고 한다.

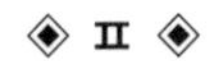

파다크

대륙공로를 따라 설치된, 여행자가 묵어가거나 인마 및 화물을 집적하는 설비(흔히 말하는 역참) 사이를 잇달아 릴레이하여 신속하게 정보나 화물을 먼 곳까지 전달하는 제도를 말한다. 파르스 왕국에서는 광대한 국토를 통치하기 위해 이러한 통신수단이 잘 정비되어 있다.

파라흐다(백귀白鬼)

파르스의 옛날이야기에 등장하는 괴물.

파르냔

포도의 품종 중 하나. 녹색 열매를 맺는다. 옥서스 지방 하마무르 계곡에서 재배되는 것을 최고로 친다.

파르상

길이 단위. 1파르상은 약 5킬로미터.

파르스 왕국王國

'아르슬란 전기'의 무대. 대륙을 동서로 연결하는 대륙공로를 영내에 가지고 있어, 이곳을 통과하는 대상 등에게서 얻는 통행세 등으로 풍요로운 재정을 자랑한다. 토목, 공예 등 기술수준, 식자율로도 알 수 있는 문화수준은 다른 국가와 비교해 상당히 높은 수준인 것으로 보인다. 수도는 엑바타나.

파르하딘(늑대가 기른 자)

이스판의 별명.

파르하르 공국公國

대륙공로 주변 국가 중 하나. 주요 생산품은 비취, 홍옥.

파이리다이자(수렵원狩獵圓)

파르스의 왕족 및 귀족이 수렵을 즐기기 위해 일반인의 출입을 제한한 토지. 수렵의 대상이 되는 동물이 다수 서식하는 것으로 보인다.

파툼(송문誦文)

영혼이나 정령 등에게 바치는 문언.

팔라무트(흰살 생선)

파르스 요리의 재료로 쓰이는 물고기 중 하나.

페니(야자주椰子酒)

야자로 만든 술.

페샤와르

신두라 왕국과의 국경을 지키기 위해 바다흐샨 지방의 바위산에 건설된 파르스군의 성새. 제1차 아트로파테네 회전 후 왕태자 아르슬란의 거점이 되었다. 파르스력 321년 3월 말 '루시타니아 토벌령', '노예제도 폐지령'이 이곳에서 발포되었다.

페슈와(세습재상世襲宰相)

신두라 왕국에서는 국왕만이 아니라 재상도 세습제여서 재상을 이렇게 부른다.

포로와

파르스 가정 요리의 하나. 소와 양의 다짐고기에 빻은 아몬드와 건포도를 섞어 호두로 맛을 더한 것.

포사트(군기경軍機卿)

왕태자가 국왕을 대신해 국정을 관장할 때의 보좌 중 하나. 군령과 군정의 책임을 맡는 자에게 주어지는 역직.

포세이돈(해신海神)

마르얌에서 숭상하는 바다의 신. 마르얌의 군선에는 뱃머리에 포세이돈의 상을 장식한다.

프라마타르(재상宰相)

파르스 문관의 최고 지위.

프라마트(부재상副宰相)

파르스 문관 중에서도 고위의 역직. 재상을 보좌하며, 재상이 없을 때는 대행을 맡는다.

플로람 첼레(성하사순절盛夏四旬節)

6월 후반, 하지로부터 시작되는 40일간을 가리킨다. 파르스에서 가장 더운 계절이라고 한다.

피루지(승리호勝利號)

구라즈가 소유한 배. 길란 항구 밖에서 해적선에게 습격당할 뻔했을 때 아르슬란 일행의 도움을 받는다.

하르나크(수렵제狩獵祭)

왕족이나 귀족, 외국의 귀인 등을 초빙해 치러지는 축제의 하나. 파르스의 풍습에서는 왕이 말을 타고 사자를 사냥하지만 신두라 왕국에서는 코끼리를 타고 호랑이를 사냥하는 것으로 되어 있다.

하마무르

파르스 왕국 중부, 옥서스 지방에 속한 계곡. 풍부한 지하수가 곳곳에서 솟아나며, 온난한 기후가 더해져 녹음이 풍부한 토지가 되었다. 특히 포도 재배가 왕성해 파르스에서도 최고의 작황을 자랑한다.

하맘(공중욕탕公衆浴湯)

흔히 말하는 대중탕. 서민의 사교장으로도 중요한 역할을 한다. 엑바타나에는 크고 작은 500여 개의 하맘이 있다고 한다.

하지네(욕조浴槽)

파르스의 하맘(공중욕탕) 내부에는 욕조를 갖춘 작은 방이 잔뜩 있으며 손님은 각자 할당된 방에 들어가게 된다.

하침 마이마이(내숭쟁이)

입은 무겁지만 색을 밝힌다는 뜻. 일반적으로 색을 밝히는 사람은 경박하고 수다스러운 경우가 많다는 데서, 말이 없고 색을 밝히는 사람을 특히 이렇게 부른다고 한다. 결코 칭찬은 아니다.

할라르

파르스의 옥서스 지방에 세워진 신전 중 하나. '영웅왕 카이 호스로 치세 이후'라 불릴 정도로 긴 역사를 자랑한다. 불행한 처지의 여성을 구제하거나 젊은 여성에게 학문 및 손재주를 가르치기도 하는 등 유익한 사업을 벌이는 것으로 알려졌다.

할보제

파르스의 건조지대에서 나는 오이과 야채. 멜론.

헤라트

튀르크 왕국의 수도. 튀르크 국내에서 가장 비옥한 계곡을 골라 세워졌다고 한다. 여섯 개의 고갯길과 한 개의 수로로 외부와 이어져 위급할 때는 이러한 길을 봉쇄하기만 해도 난공불락의 요새로 탈바꿈한다. 도시 북쪽 경사면을 따라 세워진 계단형 궁전은 무려 16층에 이르며 '헤라트 계단궁전'으로 알려졌다.

후마(불사조不死鳥)

파르스 신화에 등장하는 새.

후우리(천상의 미인)

파르스 신화에 등장한다. 천상에 살며 아름다운 여성의 모습을 했다고 전해진다.

후제스탄

파르스의 한 지방. 파랑기스가 속했던 신전이 있다.

후카(맥주麥酒)

보리로 만든 양조주의 일종. 알코올 도수는 별로 높지 않은 것으로 보인다. 차게 해서 마신다.

파르스 왕가 가계도

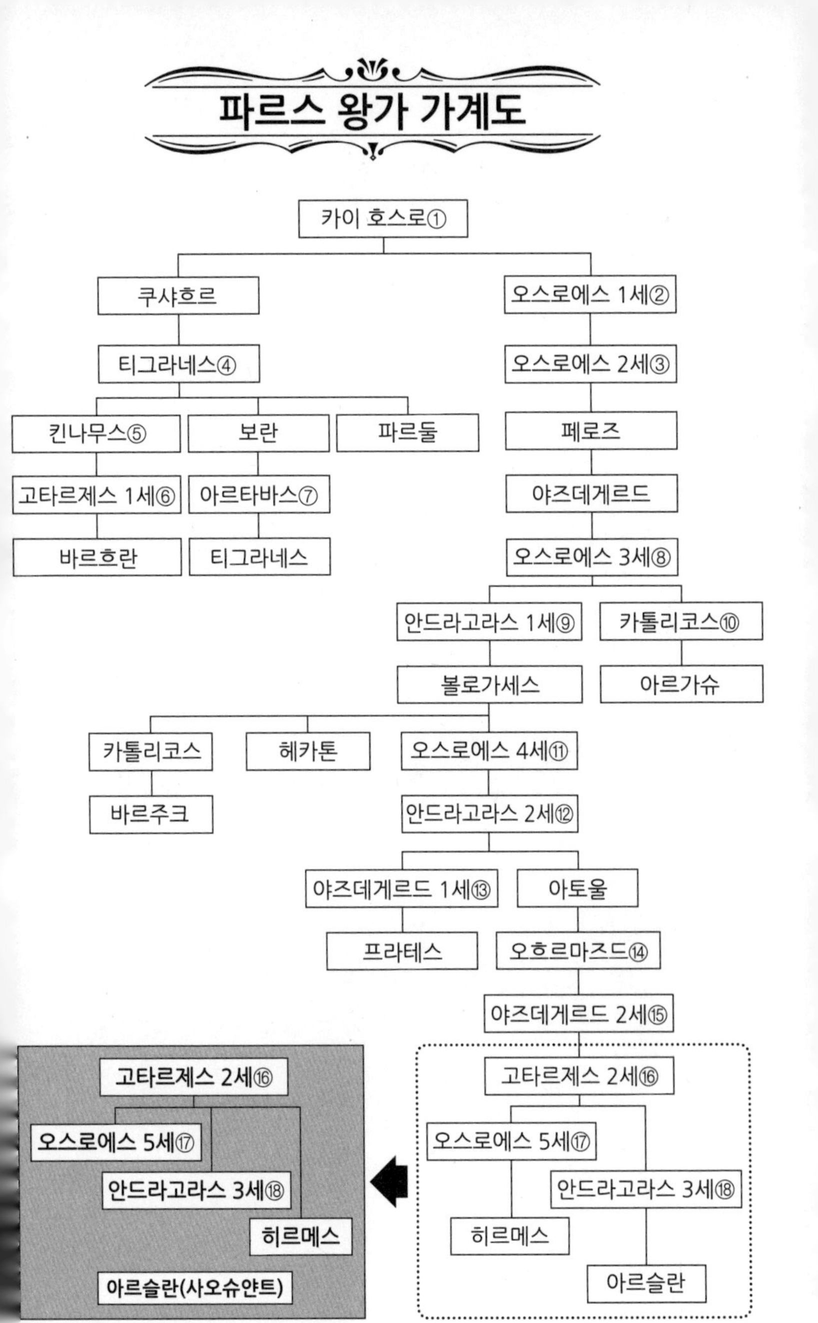

※가계도의 일부는 스토리 전개에 따라 위와 같은 사실이 밝혀졌다.

연 표

파르스력	주요 사건
301년	제16대 샤오 고타르제스 2세 사망. 제17대 샤오 오스로에스 5세 즉위.
303년	왕제 안드라고라스, 에란으로서 국경 남동쪽의 바다흐샨 공국을 멸하고 자결한 바다흐샨 공작의 아내 타흐미네를 왕도 엑바타나로 연행.
304년 5월 19일	오스로에스 5세 급사. 제18대 안드라고라스 3세 즉위. 왕궁에서 화재 발생. 왕자 히르메스 사망(훗날 생존이 판명). 안드라고라스, 바흐리즈를 에란으로 임명.

305년	타흐미네, 왕비가 됨.
306년	왕자 아르슬란 탄생.
310년	북방에서 침공한 투란군을 격퇴.
311년	아르슬란, 왕태자로 책봉.
312년	북방에서 침공한 투란군을 다시 격퇴.
313년	서방에서 침입한 미스르군을 격파.
315년	북동쪽, 남동쪽, 동쪽에서 파르스에 침입한 투란, 신두라, 튀르크 3국연합군 합계 50만을 나르사스의 책모로 분열시켜 격퇴.
317년	다륜, 수호사절 호위대장이 되어 세리카로 떠남. 안드라고라

	스의 치세가 해이해지기 시작. 나르사스, 궁정에서 영구추방.
319년	루시타니아군, 마르얌을 정복.
320년	마르얌을 멸망시킨 루시타니아군이 파르스에 침입.
320년 10월 16일	제1차 아트로파테네 회전. 파르스군, 큰 피해를 입고 퇴각.
11월 5일	엑바타나 성문 앞에 아트로파테네에서 전사한 자들의 수급이 효수됨.
11월 6일	엑바타나 성내의 굴람들이 루시타니아군에 호응하여 봉기.
11월 13일 밤	아르슬란 일행, 바슈르 산의 봉쇄선을 돌파. 칼란, 1천 기를 이끌고 아르슬란을 추격. 기이브, 파랑기스와 만남. 아르슬란 일행과 함께 칼란의 부대를 섬멸.
12월 초순	루시타니아 국왕 이노켄티스, 엑바타나 성내에서 타흐미네

	와 면회, 구혼. 보댕, 파르스의 문헌 1200만 권을 분서. 다륜과 히르메스, 첫 대결. 히르메스, 옥중의 안드라고라스와 대면하여 자신의 정체를 밝힘.
늦가을	아르슬란 일행, 카샨 성새에서 모반을 획책한 후다이르를 침.
12월 5일	루시타니아 귀족 페델라우스, 엑바타나 시내에서 의문사.
12월 6일	템페레시온스, 엑바타나에 도착. 잔데와 삼, 히르메스의 휘하에 가담. 히르메스, 아르슬란을 추격하고자 엑바타나에서 출정. 아르슬란 일행, 추격대를 따돌리기 위해 3개조로 나뉘어 페샤와르로 향함. 나르사스, 알프리드와 만남.
12월 12일	다륜과 파랑기스, 아르슬란 일행과 합류. 페샤와르의 키슈바드, 국경에서 침입한 신두라군(가데비군)

	을 격퇴.
중순	나르사스, 일행과 재회. 페샤와르에 입성.
	히르메스, 페샤와르로 침입하여 아르슬란을 습격하나 실패.
	신두라군(라젠드라군)의 침입. 아르슬란, 이를 격파하고 라젠드라를 사로잡아 맹약을 체결케 함. 라젠드라를 왕위에 올리기 위해 신두라로 원정.
321년 1월 1일	신두라 북서 지역의 평원에서 새해 의식을 치름.
1월 3일	아르슬란군, 라젠드라와 헤어져 북방 산지로 향함.
1월 말	아르슬란군, 구자라트 성에 접근.
	투란에서 토크타미시 왕 즉위.
2월 1일	기이브, 자스완트를 대동하고 구자라트 성에 사자로 파견.
	나르사스의 책략으로 구자라트 성 함락.
2월 5일	가데비군, 수도에서 출발. 라젠

드라군, 수도와 가데비군을 잇는 선의 중간 지점에 포진.

2월 10일 라젠드라와 가데비 양군, '찬디가르 평원'에서 대면해 전투를 벌임. 여기에 달려온 파르스 기병부대, 가데비의 전투코끼리 부대를 궤멸시킴.

자스완트, 가데비를 구출해 수도로 귀환.

카리칼라 왕의 의식이 회복됨. 왕위를 건 아디칼라냐가 치러짐. 가데비, 아디칼라냐에서 패배하여 착란을 일으키고 파르스 마르즈반 바흐만, 신두라 재상 마헨드라를 살해. 카리칼라 왕 서거. 가데비 사형.

라젠드라, 페샤와르로 돌아가는 파스르군을 다시 습격했다가 다시 사로잡힘. 3년간의 국경불가침조약을 체결.

2월 말 히르메스, 기스카르의 명령을 받아 자불 성에서 농성 중인 보

	댕을 치기 위해 병사를 모음.
3월 1일	히르메스, 왕도에서 출발.
3월 10일	히르메스군, 템페레시온스와 전투. 삼의 설득으로 쿠바드가 가세.
3월 중순	아르슬란군, 페샤와르로 개선.
3월 28일	파르스 동부에서 20년 만의 대지진.
3월 말	아르슬란, 페샤와르에서 '루시타니아 토벌령'과 '노예제도 폐지령'을 반포.
4월	페샤와르에 제후 및 무장이 집결. 왕태자부의 조직화가 진행. 히르메스, 자불 성을 함락. 보댕, 마르얌으로 피신. 파르스의 다이람 지방에 마르얌의 배가 표착. 거의 같은 시각, 루시타니아 귀족 루트루드의 군세가 다이람을 습격. 그 자리에 있었던 쿠바드와 메르레인이 이를 격퇴함.
4월 말	메르레인, 마르얌 왕국의 공주

	이리나와 함께 자불 성으로 향함. 쿠바드, 동쪽의 페샤와르로 향함.
5월 초	나르사스, 일동에게 히르메스의 정체를 밝힘.
5월 9일	기이브, 군을 떠나 단독행동을 취함.
5월 10일	아르슬란, 페샤와르에서 출발.
5월 15일	아르슬란군, 차숨 성 부근을 통과.
5월 16일 오후	아르슬란군, 매복하고 대기하던 루시타니아군과 전투, 압승.
5월 20일	아르슬란군, 샤흐리스탄 평야에서 수렵제 중 루시타니아군과 조우. 산 마누엘 성을 공격함.
	아르슬란, 포로가 된 에스텔과 만남.
	히르메스, 기스카르와 대면하여 정체를 밝힘. 마도사의 선동으로 보검 루크나바드를 얻기 위해 데마반트 산으로 향함.
	안드라고라스, 기스카르를 인질

로 삼아 지하감옥에서 탈출.

5월 말 — 투란군, 대륙공로 북방에서 남하 개시.

6월 1일 — 투란 습격 소식을 알리는 라젠드라의 사자가 페샤와르에 도착. 즉시 행군 중인 아르슬란군을 향해 사자가 출발. 그 직후 투란군이 페샤와르 습격.

6월 2일 — 행군 도중 쿠바드에게 말을 빌린 사자가 아르슬란군에 도착. 아르슬란, 즉시 군을 되돌릴 것을 결단.

6월 4일 심야 — 파랑기스가 이끄는 선발대, 투란군을 기습.

6월 7일 새벽 — 파르스군, 동쪽에서 돌입하여 투란군을 혼란에 빠뜨림.

6월 8일 — 히르메스, 카이 호스로의 묘에서 보검 루크나바드를 파내지만 지진으로 잃음.
루시타니아 기사 돈 리카르도, 사왕의 모습을 목격하고 기억을 잃음.

	이노켄티스 7세, 착란으로 인해 유폐됨. 안드라고라스, 타흐미네 왕비와 함께 엑바타나를 탈출.
6월 10일	토크타미시가 이끄는 투란 본군, 파르스 영내로 침공.
6월 11일	투란군, 페샤와르 성벽 앞에서 파르스인을 참살하여 아르슬란이 출진. 귀환한 기이브, 아르슬란을 구함. 나르사스의 책략에 말려든 투란군, 같은 편을 공격. 라젠드라, 페샤와르를 방문.
6월 15일	에스텔, 루시타니아인 부상자들을 이끌고 엑바타나로 입성. 유폐된 이노켄티스 7세와 만남.
6월 15일 저녁	지농 일테리시, 토크타미시 왕을 시해하고 새 국왕이 되었음을 선포.
6월 16일 아침	안드라고라스, 타흐미네와 함께 페샤와르에 나타남.
6월 16일 밤	아르슬란, 사실상 추방당해 홀

	로 페샤와르를 떠남. 다륜, 나르사스, 엘람, 알프리드 또한 페샤와르를 탈출하여 아르슬란을 따름.
6월 17일 새벽	다륜을 비롯한 7명이 아르슬란과 합류하여 함께 길란으로 향함.
6월 20일	히르메스, 엑바타나의 기스카르를 찾아옴.
6월 22일?	아르슬란 일행, 조트족과 만남. 알프리드 덕에 협조체제를 확립.
6월 22일 저녁	일테리시, 전군을 이끌고 북쪽에서 페샤와르에 육박. 키슈바드, 나르사스의 책략을 이용하여 투란군을 격멸. 일테리시, 마도사의 손에 떨어짐.
6월 23일	에스텔, 엑바타나의 파르스 왕궁에 잠입하였으나 생포당함. 사로잡힌 이리나, 이노켄티스 7세를 찌름. 히르메스, 이리나를 구출. 메르레인, 에스텔과 함께 탈출하여 아르슬란이 있

	는 길란으로 향함.
6월 24일	아르슬란, 길란에 도착. 상선을 습격하는 해적을 물리치고 구라즈와 만남. 총독 펠라기우스의 부정을 밝혀내고 추방함.
6월 29일	다시 쳐들어온 해적을 나르사스의 기발한 계략으로 격파. 보물을 찾으러 간 것처럼 위장하여 샤가드의 허점을 이끌어내고 해적들을 소탕.
7월 초순	페샤와르에서 왕도로 출정할 준비. 짐사와 자라반트 탈출. 키슈바드, 바흐리즈의 편지를 발견. 타흐미네에게 양도.
7월 10일	파랑기스와 기이브, 길란 교외에서 메르레인 일행과 만나 함께 귀환.
7월 25일	아르슬란, 엑바타나로 떠날 것을 선언.
7월 26일	안드라고라스군과 루시타니아군, 엑바타나 동부 주마인드 평원에서 격돌. 파르스군의 승

리.

7월 30일	기스카르에게 패전 소식이 도착.
8월 5일 밤	이스판, 2천 기를 이끌고 야습을 감행. 마도사 푸라드를 물리침.
8월 6일	자르하드 평원 회전. 아르슬란, 파르스군을 몰래 지원. 루시타니아군 퇴각. 히르메스, 엑바타나에 입성. 엑바타나 시민의 봉기. 히르메스, 시민들 앞에서 정통 국왕임을 선언.
8월 8일	아르슬란, 엑바타나 동쪽에서 히르메스 입성 소식을 접함. 루시타니아군을 완전히 물리치기로 결심.
8월 9일	마도사 군디, 히르메스를 습격. 루시타니아군과 맞닥뜨린 짐사와 자라반트, 다륜과 재회하여 합류.
8월 11일	제2차 아트로파테네 회전에서 아르슬란군이 완승. 사로잡은 기스카르에게 마르얌으로 가

	도록 귀띔하여 풀어줌.
8월 14일	안드라고라스, 엑바타나에 대한 공세를 개시. 히르메스와 대면하여 그의 출생에 관한 비밀을 폭로.
	아르슬란, 엑바타나로 향해 타흐미네와 대면하고 출생의 비밀을 알게 됨. 왕위에 오르기로 결심. 데마반트 산으로 가 보검 루크나바드를 얻음.
8월 25일	히르메스의 대관식. 불만을 견디다 못한 엑바타나 민중이 성문을 열고 안드라고라스 및 아르슬란군을 입성시킴.
	아르슬란, 보검 루크나바드로 히르메스와 싸워 승리. 이노켄티스 왕, 안드라고라스를 길동무 삼아 탑에서 추락사. 삼, 루크나바드를 노린 마도사의 술법에 걸려 사망.
	히르메스, 이리나를 데리고 엑바타나를 떠남.

9월 2일	아르슬란, 루시타니아로 돌아가는 에스텔을 배웅.
9월 21일	아르슬란, 열여섯 살 생일. 파르스 국왕으로서 정식 즉위.
가을	기스카르, 마르얌으로 귀환. 보댕은 그를 가짜라고 주장하여 투옥시킴.
322년 4월	기스카르 탈출. 케파르니스 성새에 반 보댕 파벌 3천 명이 결집.
323년 가을	기스카르 대 보댕, 자카리아 평원에서 전투. 장병의 신의를 잃은 보댕이 대패하여 간신히 도망침.
324년 9월 21일	아르슬란, 열여덟 살 생일. 세 번째 즉위기념일. 디즐레 강 국경 방면으로 침입한 미스르군과 전투.
10월 6일	왕묘에 이형의 존재가 나타남.
10월 8일	아르슬란, 엑바타나로 귀환.

10월 9일	신두라 국왕 라젠드라를 초빙한 수렵제를 위해 샤흐리스탄 평야로 향함. 아르슬란, 시르(사자)를 잡아 시르기르 칭호를 얻음. 암살자에게 목숨을 잃을 뻔함. 튀르크가 신두라를 침공. 파르스군, 신두라군과 함께 카베리 강에서 튀르크와 전투.
11월	튀르크의 사자가 신두라 방문. 라젠드라를 협박하는 데 실패하고 도주.
11월 20일	기이브, 사로잡은 고라브 장군을 튀르크로 호송하기 위해 출발.
11월 23일	엑바타나 성 밖, 호상제湖上祭에서 불온한 움직임 발생.
12월 15일	기이브 일행, 튀르크 수도 헤라트에 도착.
12월 19일	튀르크의 손님이었던 히르메스, 투란 병사를 모아 가면군단을 조직. 튀르크를 떠난 기이브 일행을

	가면군단이 습격. 안드라고라스의 묘가 파헤쳐지고 유체를 도굴당했음이 판명.
연말	잔데, 미스르에서 거짓으로 내세운 황금가면이 히르메스라 믿고 다시 충성을 맹세함.
325년 1월 1일	기스카르, 마르얌 국왕으로 즉위.
1월	가면군단, 신두라 침공.
1월 중순	아르슬란에게 라젠드라의 지원 요청 편지가 도착.
2월	아르슬란, 신두라를 지원하기 위해 출병. 튀르크 북쪽으로부터 침공하여 남방국경 자라프리크 고개에서 튀르크군과 싸워 압승.
3월	튀르크군, 신두라의 코트카프라 성을 함락하고 농성. 카드피세스, 파르스군의 포로가 됨. 가면군단 내부에서 대립이 드높아져 튀르크인과 결별. 파르스군, 코트카프라 성을 함락.

3월 중순	미스르에서 파르스로 출병 준비가 진행. 잔데, 황금가면의 정체를 간파하고 살해당함. 미스르에 머물던 마르얌의 사자 올라베리아, 파리자드를 구함. 파르스군에 점거당한 코트카프라 성에 가면군단이 나타났으나 궤멸.
4월 하순	아르슬란, 엑바타나로 귀환. 히르메스, 항구도시 말라바르에서 무장상선 반드라 호를 탈취하여 마르얌 방면으로.
5월	아후라 비라다, 엑바타나 왕궁을 습격. 파랑기스, 아르슬란에게 과거를 털어놓음.
(사흘 후)	할림, 아르슬란에게 아질(성역비호) 요청. 올라베리아, 파리자드를 데리고 마르얌으로 귀환. 히르메스, 투란인들과 함께 미스르 남동부 움나카트 지방의 어촌에 표착.

6월	메르레인, 조트족을 이끌고 페샤와르로 향해 아후라 비라다와 싸움. 합류한 투스, 쿠바드에게 결혼 경위를 설명함. 이스판 일행, 모르타자 고개에서 마주친 대상의 야영지에서 가브르 네리샤를 잡음. 히르메스, 라반과 만남. 미스르 국왕의 의도를 깨닫고 미스르를 탈취하기로 결의. 투란인을 이끌고 15일에 걸쳐 미스르 수도 아크밈에 도착.
6월 15일	파르스의 다섯 장수 쿠바드, 투스, 메르레인, 이스판, 자스완트가 데마반트 산 봉쇄를 위해 2천 병력을 이끌고 산자락에 집결. 같은 날, 미스르 국왕 호사인 3세에게 어촌에서 떠난 투란 군세에 대한 소식이 도착함.
6월 18일	호사인 3세, 자신을 쿠샤흐르라 소개한 히르메스를 만남. '아민' 칭호를 내림.

6월 19일	히르메스, 미스르 수도 아크미에서 파르스인 3천 명을 모아 자신의 부하로 삼음. 파랑기스와 알프리드, 아무르(파견감찰관)가 되어 옥서스 지방에 도착. 영주 문지르와 그의 형 사이의 갈등에 말려듦. 다섯 장수의 지휘 아래 데마반트 산을 행군하던 2천 파르스군, 느닷없는 비바람을 만남. 야영을 위해 들어간 종유동에서 낙석 사고가 일어나 갇힘.
7월 3일	미스르의 아민 쿠샤흐르, 미스르 서부의 아슈리알 지방에서 도적집단을 궤멸시키고 개선.

아르슬란 전기 인명사전

주역 악역 조역, 모든 캐릭터를 한번에 소개.
캐릭터 탄생의 경위를 무심코 흘린 작가의 말도
한마디 빼놓지 않고 수록.

괄호 안은 처음으로 등장한 곳입니다.
또한 본문에 쓰인 연대는 파르스력입니다.

◈ ㄱ ◈

가데비【3권 1장】

신두라 국왕 카리칼라의 아들. 라젠드라의 이복형. 아내는 페슈와(세습 재상) 마헨드라의 딸 살리마. 일국의 왕자답게 귀공자 같은 용모를 가졌다. 창술의 명수이기도 하다. 라젠드라와는 대조적으로 왕궁이나 장원에서 호사스럽게 생활하며 민중 앞에는 전혀 모습을 드러내지 않는다. 주위의 충성을 당연한 권리로 여기며 부하의 존재를 경시한다. 왕위를 걸고 이복동생 라젠드라와 싸웠으나 파르스군의 지원을 얻은 라젠드라군에게 압도당해 패배를 눈앞에 둔다. 부왕 카리칼라 왕의 뜻에 따라 아디칼라냐를 벌인 결과 라젠드라에게 패배하지만 이에 승복하지 못하고, 간언하는 장인 마헨드라를 죽인 후 도주한다. 아내 살리마의 밀고로 발각되어 처형당한다.

가르샤스흐【1권 1장】

파르스군 열두 마르즈반 중 한 명. 아트로파테네 회전 당시 샴과 함께 왕도 엑바타나의 호위를 담당했다. 성문을 열고 적극 공세를 펼쳐야 한다고 부르짖어 지구전을 주장하는 샴과 대립했다. 패전을 알고 소란을 피우는 굴람들을 무력으로 억누르려 했다. 엑바타나 함락 때 루시타니아 병사에게 온몸을 난자당해 장절히 전사한다.

게르트머【7권 3장】

루시타니아의 기사. 제2차 아트로파테네 회전 당시 엑바타나 왕궁에서 탈취한 재물을 지키라는 명령을 받았으나 전투 말기에 동료를 살해하고 재물을 자기 것으로 삼으려 했다. 기이브에게 사살당함.

고라브【8권 2장】

튀르크군의 고명한 장수 중 하나. 파르스력 324년 10월, 카베리 강기슭에서 벌어진 전투를 지휘하나 파르스군에 패해 포로가 된다. 훗날 기이브 일행이 정찰을 나설때 그 구실로 삼아 튀르크에 송환되지만, 튀르크 국왕 카르하나의 지시에 따라, 장수로서 죽게 했던 부하의 아들 여덟 명이 휘두른 복수의 칼에 참살당한다.

고빈【3권 2장】

신두라의 장군. 구자라트 성새의 성사城司. 야음을 틈타 성하마을을 통과하는 파르스군을 습격하려 하지만 나르사스의 계략에 빠져 실패한다. 다륜의 투창에 맞아 전사한다.

고스타함【2권 1장】

암회색 옷의 노인이 거느린 제자, 일곱 마도사 중 하나. 스승과 함께 사왕 자하크 재림을 꾀한다. 루시타니아 국왕 이노켄티스의 마음을 조종하여 안드라고라스와의 결투를 결의케 했다.

고타르제스 1세【파르스 왕가 가계도】

파르스 제6대 샤오. 5대 샤오 킨나무스의 아들. 카이호스로의 현손. 유일한 아들 바르흐란을 나이 들어 잃고 그 직후 자신도 숨진다.

고타르제스 2세【1권 서장】

파르스 제16대 샤오. 오스로에스 5세와 안드라고라스 3세의 아버지. 재위는 271년부터 301년까지. 향년 예순한 살. 한때는 분별도 용기도 있었으며 귀족들에게는 공정하고 노예들에게는 자비롭다는 칭송을 받았다. 외적의 침입을 네 차례에 걸쳐 격퇴하는 등 '대왕' 이라 불리기에 어울리는 실적을 가져 '대륙공로의 위대한 수호자' 라 불렸다. 그러나 훗날, 미신에 깊이 빠진 유일한 결점 때문에 '아들 대에서 파르스 왕가가 끊긴다' 는 예언을 믿고 수많은 비극을 낳았다. 아들인 오스로에스와 안드라고라스 형제에게 비밀리에 시해당한다.

곤자가【7권 3장】

루시타니아 귀족. 남작. 몸집이 큰 기사. 제2차 아트로파테네 회전에서 자라반트와 격투 끝에 패배해 전사.

구라즈【6권 2장】

*325년 현재, 파르스 남부의 항구도시 길란의 총독 대리. 원래는 해상 상인이었으며 상선 '피루지(승리)' 의 선

---

*325년 현재 : 여기서 현재는 아르슬란 전기 10권의 이야기 진행 시점인 325년을 가리킨다.

장. 길란에서 해적에게 습격당하고 있을 때 아르슬란 일행에게 도움을 받아 충성을 맹세한다. 다부진 골격, 두툼한 근육, 균형 잡힌 장신. 바닷바람과 햇볕에 그을린 구릿빛 얼굴, 날카로운 두 눈. 뺨과 턱에 짧지만 뻣뻣한 수염을 기르고 있다. 용감한 무인인 데다 실무능력도 뛰어나 길란의 해상 상인들을 조직하고 통솔한다. 타국의 언어에 정통하며 화술에도 능하다. 많은 우수한 부하들을 두어, 다양한 정보를 분석하면서 아르슬란에게 제공하고 있다. "인생의 3분의 1은 파르스에서, 3분의 1은 세리카에서, 3분의 1은 바다에서 지냈다.", "흔들리는 갑판 위에서도, 흔들리지 않는 땅 위에서도 똑같이 걸을 수 있다."고 공언한다. 훗날 '사오슈얀트 아르슬란의 십육익장' 중 한 명으로 꼽힌다. 이것이야말로 누구나가 떠올리는 '바다 사나이'인 것이다.

※작가의 한마디: 구라즈

파르스라는 국가에는 양면성이 있습니다. '육지의 파르스와 바다의 파르스'. 굳이 따지자면 대륙공로가 중심인 이야기이므로 무대도 육지가 많아 바다 쪽은 좀 약하지요. 그래서 '바다의 파르스'를 대표 혹은 상징하는 캐릭터가 필요했습니다. 그것이 이 캐릭터입니다.

타입으로 따지자면 쿠바드와 마찬가지로, 국가가 없어도 자신의 세계에서 주역을 따낼 수 있을 만한 재능을 가졌으며, 그러한 입장이기도 합니다. '아르슬란 전기' 에서는 조연 중 하나일 뿐이지만 다른 전승인 '구라즈 전傳' 에서는 주역이라는 식으로. 그러한 인물이나 전승들은 역사적으로도 문학적으로도 얼마든지 사례가 있고, 저도 가능하다면 많은 캐릭터를 그런 식으로 만들어나가고 싶습니다.

구르간【1권 5장】

파랑기스의 옛 연인 이그릴라스의 동생. 미스라 신전의 수습신관이었으나 경애하던 형이 무고하게 죽자 신을 버리고 마도에 손을 댔다. 암회색 옷의 노인에게 사사해 일곱 마도사 중 한 사람이 되어 스승과 함께 사왕 자하크의 재림을 꾀하고 있다. 푸라드와 함께 루시타니아 왕제 기스카르 공작을 납치하려다 실패한다. 324년, 엑바타나 성 밖에서 개최된 호상제湖上祭 때 소동을 일으키려다 역시 실패. 이때 파랑기스와 우연히 재회한다.

군디【2권 1장】

암회색 옷의 노인이 거느린 제자, 일곱 마도사 중 하나. 스승과 함께 사왕 자하크 재림을 꾀한다.

굴리【8권 1장】

미스르의 궁정서기관장. '오른쪽 뺨에 상처가 있는 사나이' 가 히르메스 왕자일 가능성을 호사인 3세에게 간

언했다. 훗날 진짜 히르메스가 쿠샤흐르라는 가명으로 나타났을 때 국왕에게 명령을 받아 '아민'이라는 칭호를 내렸다.

기스카르【1권 4장】

루시타니아 국왕 이노켄티스 7세의 동생. 공작. 재상 겸 국군 최고사령관. 유능하고 현실감각과 실무의 재능이 풍부한, 루시타니아의 실질적인 지배자. 장신에, 근육은 생생하고 다부지며 안광에도 동작에도 정력이 배어나온다. 장식이나 다를 바 없는 형왕을 거추장스럽게 여기며 독선적 광신자인 대주교 보댕을 증오한다. 안드라고라스가 엑바타나를 탈출할 때 인질로 잡혀 쓴물을 들이켰다. 제2차 아트로파테네 회전에서 아르슬란에게 패배해 사로잡히지만 석방되어 홀로 마르얌으로 향한다. 보댕을 쓰러뜨리고 자신의 권력에 발판을 다져 325년 마르얌 국왕으로 즉위한다. 몇 번씩 넘어져도 자기 힘으로 일어나고, 심지어 맨손으로 일어나지는 않는다. 이 든든함은 적군의 귀감.

※작가의 한마디: 기스카르

사실 침략자 측의 실질적인 총수이니 매우 유들유들한 놈이 되어야 하는데 말이죠. 쓰다 보니 점점 중간관리직의 고뇌 같은 것을 혼자 짊어지게 되어서, 꽤 동정이 가기도 합니다. 뭐, 자업자득이기도 하지만요. 사실은 이

'자업자득' 이라는 면이 본인도 가장 속이 끓을 테고, 제삼자가 보기에는 참 안됐다 싶은 면이 있는 것 같습니다.

기이브【1권 3장】

325년 현재 아무르(파견감찰관)의 역할을 맡은, 국왕 아르슬란의 직속 부하. 짙고 깊은 자주색 머리카락, 남색 눈동자. 키는 크지만 가녀리게까지 보이는 체격과 섬세하고 수려한 미모. 우아한 외견과 탄탄하고 삐딱한 내면을 겸비했다. '유랑악사' 라 자칭하며 우드와 바르바트를 연주하는 외에도 노래며 춤, 시 짓기도 한다. 그러나 실제로 도움이 되는 것은 검술과 궁술 실력. 파랑기스와 만난 것을 계기로 아르슬란의 진영에 가담한다. 명령하거나 받는 것을 싫어하는 성격이라 지위에 속박되지 않고 자신의 뜻에 따라 아르슬란을 보좌한다. 아르슬란 진영 최고의 호색한. 파랑기스를 숭배하며 관심을 끌기 위해 분투하지만 헛된 패전만이 이어지고 있다. 다만 냉대 받는 것 자체를 즐기는 분위기도 엿보인다. 훗날 '사오슈얀트 아르슬란의 십육익장' 중 한 명으로 꼽힌다.

※작가의 한마디: 기이브

'기이브' 라는 이름을 사용하니 이제 다른 이름은 생각할 수 없게 되더군요. 이 인물에게는 메피스토펠레스 같은 역할을 나르사스와 분담시켜야겠다는 의도가 있었습니다. 여기에다 예로부터 전해 내려오는 트릭스터 같은 역할을, 독점은 아니라 해도 제일 많이 분담시키게 되지 않을까 생각했죠. 그야 말발은 엄청나도 말만큼 무언가를 실제로 하느냐고 묻는다면, 좀 고려의 여지가 있겠지요(웃음).

나르사스【1권 1장】

325년 현재 파르스의 궁정화가이자 부재상. 대륙에 견줄 자가 없는 지략을 자랑하는 파르스의 군사. 다이람 지방의 옛 영주. 서른한 살. 키가 크며 균형 잡힌 몸집, 밝은 색 머리카락, 인상 좋은 지적인 얼굴. 아르슬란에게는 왕태자 시절부터 고락을 함께 해온, 무엇과도 바꿀 수 없는 심복이자 국정과 군사軍事를 포함한 온갖 학문의 스승이기도 하다. 모르는 것이 없다고 일컬어질 만큼 박식하며 검술 실력도 뛰어나지만, 유일하고도 치명적인 결점은 그림을 그리는 것을 좋아하며 심지어 그것이 무시무시하게 서툴다는 점. 안드라고라스 재위 시절에는 지모로 파르스의 위기를 구해 디비르(궁정서기관)로 공을 세웠으나 치세를 비판하다 샤오의 역정을 사

궁정에서 영구히 추방당한다. 다이람의 영주 권한을 반납하고 바슈르 산의 산장에 칩거해 내키는 대로 생활하던 중 아트로파테네 패전 후 다륜과 함께 찾아온 아르슬란의 기량을 간파하고 그의 간청에 응해 군사가 되었다. 훗날 '사오슈얀트 아르슬란의 십육익장' 중 한 명으로 꼽힌다. 다륜과는 둘도 없는 벗이지만 그림에 대해 비판했을 때만은 악우.

※작가의 한마디: 나르사스

흔히 있을 법한, 머리가 좋고 무력도 뛰어나고 미형인 군사만 가지고는 재미가 없겠다고 생각했습니다. 굳이 비교하자면 메피스토펠레스 같은, 착한 아이를 꼬드기거나 위악적인 발언을 하는 그런 캐릭터가 역시 필요하지 않나 생각했는데, 뭐, 기대 이상으로 잘 해주었죠(웃음).

그리고 '좋아하는 일을 열심히 하면 반드시 보답받는다'는 교육론을 혼자 전부 망쳐버리는, 매우 비교육적인 캐릭터이기도 합니다(웃음). 뭐 사실 그림이 거시기하지 않고 알프리드에게 희롱당하지 않는다면 단순히 '얄미운 놈'이었겠지요. 이번에는 아르슬란에게 그림을 헌상하겠다고 말했는데, 자신이 생긴 것인지 아니면 자포자기했는지……. (웃음) 마침내 자신이 붙었다면 그것도 무시무시한 일이네요.

나마르드【10권 4장】

파르스 왕국 옥서스 지방 영주 문지르의 형 케르마인의 아들. 자라반트의 사촌 동생이기도 하다. 영주의 권위를 방패삼아 제멋대로 행동한다. 비겁하고 잔학하며 호색한이지만 단순한 사내. 아르슬란의 통치에 불만을 품어, 미스르로 망명한 쿠오레인과도 내통하고 있다.

나스린【8권 4장】

키슈바드의 아내. 제1차 아트로파테네 회전 당시 전사한 마르즈반 마누세르흐의 딸. 할머니는 마르얌인. 눈에 뜨이는 미녀는 아니지만 용기와 사려가 있는 여성. 남편과의 사이에 아들 하나가 있다.

나와다【9권 2장】

신두라 코트카프라 성의 부성사. 325년 3월, 결사대로 변한 튀르크의 병사들에게 성을 함락당해 싱그와 결투를 벌이지만 20여 합을 나눈 끝에 전사했다.

니콜라오스 4세【4권 2장】

마르얌 국왕. 이리나 공주의 아버지. 겁이 많고 나약한 왕으로, 루시타니아군에게 침입을 당했으면서 한 번도 전장에 모습을 드러내지 않은 채 도망치기만 했다. 포로가 되어 목숨의 보장과 맞바꾸어 항복문서에 서명을 했으나 대주교 보댕과 템페레시온스가 왕궁에 불을 질러 왕비 엘레노어와 함께 불에 타 죽었다.

◈ ㄷ ◈

다라바다【2권 4장】

신두라의 장수. 320년 12월, 신두라군 5천 기의 일익을 맡아 카베리 강을 건너 침입한다. 키슈바드에게 1대1 대결을 청하지만 단 1합 만에 전사한다.

다륜【1권 1장】

파르스의 장수. '마르단후 마르단(전사 중의 전사)'이라는 별명을 가진 대륙 최강의 전사. 어쨌거나 무지무지 강하다. 325년 현재 서른두 살. 마르즈반 중에서는 에란 키슈바드에 버금가는 지위. 샤오 아르슬란에게는 왕태자 시절부터 고락을 함께 해온, 무엇과도 바꿀 수 없는 심복이자 무술의 스승이기도 하다. 키가 크며 어깨가 넓고 이목구비가 뚜렷하다. 검은 눈, 검은 머리, 볕에 그을리고 생기가 넘치며 다부진 용모. 투구 술을 비롯하여 갑주, 군화에 이르기까지 검은색으로 통일되었으며 망토의 안감만이 붉다. 성격은 강직함 그 자체. 제1차 아트로파테네 회전 때 백부이자 에란이었던 바흐리즈의 요구에 응해 아르슬란 개인에 대한 충성을 맹세하지만 이내 아르슬란의 본질에 이끌려 이 소년에게 전심전력을 다하게 된다. 무용담은 헤아릴 수 없으며 신두라에서는 라젠드라의 대리인으로 아디칼라냐에 참가

해 승리, '쇼라 세라니(맹호장군)' 라는 별명을 얻었다. 훗날 '사오슈얀트 아르슬란의 십육익장' 중 필두로 꼽힌다. 궁정화가 나르사스와는 막역한 사이지만 그들의 대화를 보면 오히려 악우惡友.

※작가의 한마디: 다륜

강하고 용감하고 그럭저럭 머리도 좋고…… 이렇게 놓고 보면 '악의 매력' 이란 게 전혀 없는 캐릭터(웃음). 그래서 일면만 보면 '좋은 사람' 으로 끝나버립니다. 다만, 사실 파트너와 얽히면 점점 성격이 나빠지는 면이 있어서 구원을 받죠.

데오【8권 1장】

튀르크의 장군. 튀르크 남방국경 자라프리크 고개에서 벌어진 파르스군과의 전투 때 싱그 장군 밑에서 지휘를 맡았다. 패전 후 신두라에서 코트카프라 성을 점거하지만 파르스군의 습격 때 파랑기스에게 패해 전사했다.

도그라【8권 1장】

튀르크의 장군. 튀르크 남방국경 자라프리크 고개에서 벌어진 파르스군과의 전투 때 싱그 장군 아래에서 지휘를 맡았다. 패전 후 신두라에서 코트카프라 성을 점거하지만 파르스군의 습격 때 엘람의 화살을 맞아 계단에서 떨어져 사망.

돈 리카르도【5권 2장】

루시타니아의 기사. 321년 6월 당시 서른. 기스카르의 명령을 받아 올라베리아 일행과 함께 히르메스를 추적해 그의 행동을 염탐한다. 그때 데마반트 산의 대지진으로 갈라진 땅속에 떨어져 낙오되고, 지하공동에서 사왕으로 보이는 무언가를 목격한다. 공포로 착란을 일으킨 끝에 기억을 잃고 머리카락도 수염도 새하얗게 물든다. 산기슭 마을 사람들 덕에 목숨을 건지고 '파라흐다(백귀白鬼)' 라는 별명을 얻어 조용히 살아가지만, 훗날 데마반트 산을 찾아온 아르슬란 일행에게 사왕에 대한 단편적인 정보를 전해준다. 엑바타나가 해방된 후 에스텔을 따라 고향 루시타니아로 귀국한다.

※작가의 한마디: 돈 리카르도

이 사람도 정말 써먹을 곳이 많은 캐릭터인데 말이죠……. (사악한 웃음)

동호장군銅虎將軍【동방순력東方巡歷】

세리카에서 아군鴉軍이라 불리는, 온통 검은색 장비를 걸친 부대를 이끄는 장군. 317년 5월 당시 30대 중반이었던 것으로 보인다. 구릿빛으로 그을린 피부, 날카롭고 다부진 얼굴, 굵은 눈썹, 번갯불로 가득 찬 두 눈, 왼쪽 빰에 하얗게 떠오른 검상. 갑주의 색에 녹아드는 것처럼 멋들어진 흑발. '어마어마하게 강하다.'는 사실을 싸우기도 전에 다륜에게 느끼게 만들었던 인물.

두라니【9권 1장】

튀르크의 장군. 튀르크 남방국경 자라프리크 고개에서 벌어진 파르스군과의 전투 개막전에서 아르슬란과 파르스군을 매도한 탓에 파랑기스의 화살에 코 밑을 맞았다. 아프겠다.

드루그【9권 2장】

투란인. 325년 3월 현재 히르메스를 따르며 투란 병사로 구성된 가면군단의 간부를 지낸다. 이미 초로의 연령이지만 역전의 용사이며 병사들의 신망도 두텁다. 코트카프라 성에서 벌어진 파르스군과의 혼전에서 행방불명.

디블랑【7권 2장】

루시타니아의 귀족. 남작. 기스카르가 군을 이끌고 파르스군과 대치한 동안, 점령했던 엑바타나의 잔류부대 1만을 맡았다. 성내에 침입한 히르메스군을 저지하지 못하고 히르메스의 검에 목숨을 잃었다.

디자불로스【5권 1장】

투란의 장군. 페샤와르 성에서 안드라고라스군과 싸우다 이스판에게 목숨을 잃었다.

◈ ㄹ ◈

라반【10권 3장】

파르스의 상인. 미스르에서 12년에 걸쳐 장사를 하고 있다. 도적에게 습격을 당했을 때 히르메스에게 도움을 받은 후 통역으로 동행한다. 상인 특유의 꿋꿋함과 성실함을 가졌으며 눈썰미가 있는 사내. 조금 토실토실하고, 눈보다도 눈썹이 굵다.

라젠드라 2세【2권 1장】

325년 현재 신두라 국왕. 스물여덟 살. 지나치리만큼 검은 눈동자, 짙은 갈색 피부와 끌로 깎아낸 것처럼 깊고 뚜렷한 눈과 코. 웃으면 녹아들 것 같은 애교가 있다. 검도 기마술도 능숙하며 백마를 즐겨 탄다. 유들유들하고 경박하며 상당히 이기주의자지만 별로 미움을 사는 적은 없다. 특별히 독창적인 정책을 추구하지는 않지만 왕으로서 필요한 일을 해낼 만한 그릇은 갖추었다. 싹싹하며 통이 커 하급병사나 민중에게는 인기가 있다. 그러나 파르스인들에게는 매우 신용이 없다. 이복형인 가데비와 왕위계승권을 다투다 아르슬란의 도움으로 왕위를 얻었다. 자칭 아르슬란의 '벗', '마음의 형제'.

라크슈나【2권, '카이 호스로 무훈시초'】

카이 호스로의 애마.

란체로【8권 2장】

마르얀의 기사. 백작가의 장남. 보댕에게 꼬리를 친 동생에게 당주 자리를 빼앗겨, 유폐된 기스카르를 추대하기로 결심하지만 신뢰했던 동료 웨스카에게 배신당해 고문을 받던 끝에 옥사한다.

란체로의 정부【8권 3장】

루시타니아인과 마르얀인 사이에서 태어난 여인으로, 용모는 간신히 미인이라 부를 수 있을 정도였으나 춤이 뛰어나고 기질이 격렬하다. 무희로 가장해 란체로를 배신한 웨스카에게 접근해 복수를 이룬다.

란푸(藍妃)【동방순력東方巡歷】

세리카 태상황(51대 황제)이 퇴위 후에 얻은 애인. 자신이 낳은 사내아이를 제위에 올리고자 황제를 폐하고 태상황을 복위시키려 한다.

레일라【10권 4장】

파르스의 옥서스 지방, 술레이마니에 계곡의 할라르 신전에서 일하던 수습여신관. 325년 6월 현재 추정 열아홉 살. 단발머리에 여성이라고는 여겨지지 않을 만큼 키가 크다. 햇볕에 그을린 팔다리는 길다. 다부진 몸집. 완력이 뛰어나 봉술은 달인의 영역에 도달했다. 태어나서 얼마 지나지 않아 다른 두 계집아이와 함께 할라르 신전에 버려져 있었다. 버림받을 때 은색 팔찌를 차고 있었다고 한다.

루샨【4권 1장】

325년 현재 파르스의 재상. 레이 성주. 쉰이 넘은 나이의 당당한 체구와 태도를 가진 인물. 머리와 수염은 짙은 회색. 321년 4월, 아르슬란이 페샤와르 성새에서 띄운 격문에 호응하여 휘하에 들어왔다. 이후 아르슬란 진영의 조정자로 활약했던, 온건하고 공정한 인물. 사리 분별이 뛰어나며 샤흐르다란들의 인망도 두텁다. 틈만 나면 아르슬란에게 결혼을 권하기 때문에 아르슬란은 그를 약간 기피한다.

루트루드【4권 2장】

루시타니아의 대귀족이며 후작 작위를 가졌다. 321년 봄, 정찰과 약탈을 목적으로 다이람 지방에 병력 300기를 보내지만 그 자리에 있던 쿠바드와 메르레인에게 큰 타격을 입는다.

루함【4권 5장】

파르스의 장군. 321년 5월 10일, 왕태자 아르슬란이 왕도 엑바타나를 향해 병사를 일으켰을 때 최후방 제6진의 보병 2만을 통솔했다.

루함【8권 5장】

324년 12월 현재 파르스의 항구도시 길란에서 구라즈의 심복부하로 일하는 사내. 구라즈의 보고서를 아르슬란에게 가져다준다.

◈ ◻ ◈

마그파티(대신관大神官)【1권 3장】

파르스의 대신관. 황금색과 보라색의 호화찬란한 승복을 두른 비대한 사내. 루시타니아군에게 엑바타나가 함락되었을 때 왕궁에 숨어 있다가 은가면에게 들킨다. 목숨을 구해줄 것을 청하며 그 대가로 타흐미네 왕비가 있는 곳을 적에게 가르쳐주었다.

마누세르흐【1권 1장】

파르스의 열두 마르즈반 중 한 명. 아트로파테네 회전에서 전사. 훗날 키슈바드의 아내가 된 나스린의 아버지.

마니【1권 5장】

화성畫聖이라 숭상을 받는 예술계의 거성. 고인.

마시니사【8권 1장】

미스르 왕국에서 손꼽히는 용명을 떨치는 장군. 324년 당시 스물여덟 살. 키가 크고 구릿빛 피부. 머리카락도 눈도 콧수염도 검고 윤기가 난다. 용맹하지만 본질은 교활하며 시야가 좁다. 황금가면 밑에 있으며 호사인 3세가 아끼는 잔데에게 불만을 품고 있었다. 진실을 알고 도망친 잔데를 추적하지만 검에 패할 뻔해 거의 암습하다시피 그를 해치고, 왕에게는 자신에게 유리하게 보고했다.

마칸【동방순력東方巡歷】

파르스의 귀족. 317년 5월, 세리카로 파견된 파르스 사절단을 이끈 사절단장. 당시 쉰 전후의 느긋한 인물. 과거 두 차례에 걸쳐 세리카에 다녀와 정세에 밝다. 파르스 본국에 아내와 자식이 있지만 세리카에도 다른 가정을 두었다.

마헨드라【3권 1장】

320년 당시 신두라의 페슈와(세습 재상). 검은 세모꼴 턱수염이 인상적인, 당당한 체구의 중년 사내. 일족인 자스완트를 비호하고 있었다. 20년에 걸쳐 국정을 관장하고 온갖 방면에서 안정된 업적을 올렸다. 왕위계승권을 둘러싼 두 왕자의 다툼에는 장인이라는 입장 때문에라도 가데비를 지지했으나 아디칼라냐(신전결투)에 패해 착란을 일으킨 가데비에게 창에 찔려 목숨을 잃었다.

메르레인【4권 2장】

325년 현재 조트족 족장 대리. 선대 족장 헤이르타슈의 아들. 알프리드의 이복오빠. 불그스름한 머리에 검은 천을 감아놓았다. 수려하다고 할 만한 얼굴이지만 언제나 무뚝뚝해보인다. 시력이 뛰어난 활의 명수. 차기 족장으로 지명되었던 여동생 알프리드를 찾는 여행 도중 쿠바드와 만나고 이리나를 히르메스와 만나게 해주는 역할을 맡았다. 알프리드와 재회를 이룬 후에는 조트족을 통솔하고 자신도 아르슬란을 위해 일하게 된다. 훗날 '사오슈얀트 아스슬란의 십육익장' 중 한 명으로 꼽힌다. 이리나처럼 연약할 정도로 조신한 여성이 취향.

※작가의 한마디: 메르레인

실제로 욕심을 부린 적은 한~번도 없는 사람이죠. 그저 누가 봐도 역적모의를 할 것처럼 생겼을 뿐(웃음). 사실은 제일 좋은 놈일지도 모릅니다.

이 사람의 표정을 묘사할 때 '입을 헤(へ) 자로 다물고'라고 쓰면 너무 편하기만 한 데다 파르스에는 일본어가 없으니, 그럼 뭐라고 묘사할까, 하던 쓸데없는 고민이 있었습니다(웃음).

모호타세브【10권 2장】

파르스의 장수. 쿠바드 밑의 천기장 중 최연장자. 쿠바드가 데마반트 산으로 간 동안 페샤와르를 맡았다.

몬테세코【7권 3장】

루시타니아군의 기사. 제2차 아트로파테네 회전에서도 선발대 4천 명의 일익을 맡았다. 개전 직후 짐사의 검에 사망.

몽페라토【1권 1장】

루시타니아의 장군. 전사로서 실력을 갖춘 것은 물론 인격도 뛰어나 루시타니아에서 가장 고결한 기사로 일컬어진다. 전우인 보두앵과 함께 기스카르에게 큰 신뢰를 받고 있었다. 제2차 아트로파테네 회전 당시 기스카르 밑에서 군을 통솔해 아르슬란군과 격돌해 기이브의 검에 목을 맞아 숨이 끊어진다.

몽페라토의 동생【2권 4장】

320년 당시 템페레시온스 소속. 보댕의 명령으로 이알다바오트 교의 신기神旗를 확보하려다 기스카르 휘하의 기사들과 다투던 중 나타난 히르메스의 칼에 사망한다.

문지르【4권 1장】

파르스 옥서스 지방의 영주. 321년 4월, 아르슬란이 페샤와르에서 띄운 격문에 호응하여 늙고 병든 몸을 대신해 아들인 자라반트를 보낸다. 약혼자를 빼앗은 형 케르마인을 증오하여 20년에 걸쳐 몰래 감금 학대했다. 그러나 탈출을 이룬 형에게 두 눈을 잃고 처지가 바뀌게 된다. 325년 6월, 파랑기스와 알프리드에게 구출되지만 조카 나마르드의 화살에 목숨을 잃는다.

물크【동방순력東方巡歷】

317년 5월, 세리카로 파견된 파르스 사절단이 통역 겸 안내인으로 대동했던 다섯 파르하르인 중 하나. 늘어지지 않은 공처럼 둥그스름한 몸을 한, 나이를 알 수 없는 표표한 사내. 기묘한 애교가 있다. 파르하르어, 세리카어는 물론 투란어, 튀르크어, 신두라어, 미스르어도 유창하며 지리나 습관에도 박식하다. 나아가서는 내륙에서 진주조개를 양식해 '대륙공로 최고의 진주왕' 이 되겠다는 큰 꿈을 품고 있다.

미르자 2세【10권 3장】

60년 전의 미스르 국왕.

밀리차【4권 2장】

마르얌 국왕 니콜라오스 4세의 장녀. 공주. 루시타니아군이 습격했을 때 동생 이리나를 데리고 왕궁을 탈출해 다르반드 내해 북서쪽 해안의 아크레이아 성으로 피신했다. 2년간 농성을 계속했으나 내통자가 나오는 바람에 함락되고, 혼란의 와중에 이리나만을 배로 탈출시킨 후 자신은 탑에서 몸을 던졌다.

바누【동방순력東方巡歷】

317년 5월, 세리카로 파견된 파르스 사절단을 지키던 호위대의 부대장. 대장인 다륜보다도 연장자여서 그의 밑에 서는 것을 좋게 생각하지 않았으나 불만을 드러내는 일은 없었다.

바니팔 부인【10권 1장】

파르스의 기사 바니팔의 부인. 전장에서 입은 부상 때문에 남편을 잃은 후 세 딸의 장래를 투스에게 맡긴다.

바니팔【10권 1장】

파르스군의 용감한 기사이며 투스의 전우. 투스보다도 열 살 정도 연장자. 루시타니아군과의 전투에서 중상을 입고 고향으로 돌아왔으나 요양한 보람도 없이 사망했다. 세 딸은 훗날 모두 투스의 아내가 되었다.

바다흐샨 공작【1권 서장】→케유마르스

바라와【6권 4장】

항구도시 길란을 대표하는 호상 중 하나. 도시를 해적들에게서 구해준 아르슬란에게 충성을 맹세한다.

바라카드【6권 5장】

루시타니아군의 장군. 321년 7월 말, 주이만드 평원에서 벌어진 안드라고라스군 및 기스카르군과의 전투에서 명장으로 유명한 보두앵 장군의 부장을 지냈다. 투스의 철쇄술에 안면이 박살나 사망.

바라크【10권 3장】

원래는 가면군단의 일원이었으며, 히르메스를 따라 미스르까지 건너온 투란인.

바르주크【파르스 왕가 가계도】

파르스 제9대 샤오 안드라고라스 1세의 증손자. 볼로가세스의 손자이며 카톨리코스의 아들. 11대 샤오 오스로에스 4세의 조카지만, 오스로에스가 친아들보다도 더 인정하는 바람에 출생에 의문이 제기되어 궁정투쟁의 불씨가 되었다.

바르카시온【4권 4장】

루시타니아의 귀족. 백작. 321년 5월 당시 산 마누엘 성의 성주. 나이는 60대 전후. 머리 앞쪽이 벗겨졌으며 뒤쪽은 백발. 콧수염만이 검은색. 무예보다도 학문에 뛰어나 루시타니아 왕도에서 왕립도서관장을 지냈다. 부하의 신망이 두텁고 덕이 많았던 인물. 에투알(에스텔)을 그녀의 아버지에게 부탁받아 맡고 있었다. 파르스군의 공세 때 결단을 망설이는 바람에 대패를 맛본다. 성벽 망루에서 투신자살함.

바르하이【4권 3장】

파르스군의 천기장. 바흐만의 부하였으나 그가 죽은 후 다륜 밑에 들어가고 쿠바드까지 섬긴다. 기이브를 비롯한 아르슬란의 개성적인 막료들에게도 편견을 가지지 않는다. 말을 매우 솔직하게 하는 것이 매력적이다.

※작가의 한마디: 바르하이

'매력적' 이라는 말을 들으니 영광이네요. 비중이 적은 캐릭터라도 성장할 여지가 남아있으면 그 후에는 얼마든지 써먹을 구석이 생기니, 역시 함부로 죽여버릴 수도 없다니깐요……. 변명 같지만요(웃음).

바르흐란【파르스 왕가 가계도】

파르스 제6대 샤오 고타르제스 1세의 아들. 젊은 나이에 사망.

바스밀【5권 1장】

투란군의 유력한 장수. 일테리시 밑에서 페샤와르 성 전투에 참가한 후 소식불명. 목숨을 잃은 것으로 보인다.

바하두르【3권 3장】

차기 신두라 국왕을 결정하는 아디칼라냐(신전결투)에서 가데비 왕자의 대리인이 되었던 전사. 신장 2가즈(약 2미터)가 넘는 거인. 갈색 피부 안에 우락부락한 근육을 가지고 있다. 털이 무성한 얼굴, 누렇고 조그만 눈을 가진 짐승 같은 사내. 통각을 느끼지 않는 광전사. 라젠드라 왕자의 대리인 다륜마저 고전하게 만들지만 결국 다륜의 두뇌 플레이에 패배한다. 아픔이 없을 정도니 머리도 좋지 않았던 듯. 불쌍하다.

바흐람(화성火星)【9권 4장】

325년 4월 현재 파르스의 장수 이스판이 기르는 두 마리의 새끼 늑대 중 하나. 털은 불그레한 기운을 띤 색.

바흐리즈【1권 1장】

파르스의 에란. 다륜의 백부. 아트로파테네 회전 당시 쉰다섯 살. 머리카락과 수염은 흰색이지만 전투와 수렵과 승마로 단련된 육체는 여전히 다부지다. 16년에 걸쳐 에란 자리에 있었으며 안드라고라스의 한쪽 팔로서 패권을 확립하는 데 진력을 다했다. 파르스 왕가의 혈통에 얽힌 비밀을 알고 노장 바흐만에게 문서를 남기는 한편, 다륜에게는 왕태자 아르슬란에게 충성해 달라고 부탁한다. 아트로파테네에서 패전한 후 국왕 안드라고라스를 경호하며 이탈시키고자 방패가 되어 은가면 히르메스에게 죽음을 당한다.

바흐만【1권 1장】

320년 당시 파르스군 최연장 마르즈반. 노련한 숙장으로 알려졌다. 당시 예순두 살. 회색이 된 머리와 수염, 땅딸막한 체구이면서도 안광은 예리하고 노인이라고는 여겨지지 않을 정도로 다부진 몸을 가진 백전연마의 용병가. 키슈바드와 함께 페샤와르 성에서 동방국경을 지키지만 제1차 아트로파테네 회전 직전 대장군 바흐리즈에게서 밀서를 받아 아르슬란의 출생에 관한 비밀을 알고 고뇌한다. 아르슬란을 따라 행군해 신두라의 수도 우라이유르까지 갔으며 아디칼라나 때 깊은 부상을 입고, 결국 비밀을 자신의 머릿속에 담은 채 사망.

※작가의 한마디: 바흐만

아, 바흐만. 있었지, 그런 사람(웃음). 뭐, 사이에 끼어서 괴로워질 것 같은 사람은 역시 죽게 해주는 게 자비 아닐까, 그런 마음이 들지요.

베나스카【6권 4장】

항구도시 길란을 대표하는 호상 중 하나. 도시를 해적들에게서 구한 아르슬란에게 충성을 맹세하고 자금을 원조한다.

보놀리오【7권 3장】

루시타니아의 귀족. 공작이며 왕실과는 인척관계. 제2차 아트로파테네 회전에서 말을 타고 싸우다 파랑기스에게 화살에 맞아 쓰러짐.

보두앵【1권 1장】

루시타니아의 장군. 동료 몽페라토와 함께 왕제 기스카르가 가장 신임하던 유능한 장수. 탈출한 안드라고라스가 이끌던 파르스군과 엑바타나 동쪽에서 대치하여 혼전 중에 키슈바드에게 목숨을 잃는다.

보란【파르스 왕가 가계도】

파르스 제4대 샤오 티그라네스의 아들, 제5대 샤오 킨나무스의 동생. 파르둘의 형. 카이 호스로의 증손자.

보일라【5원 1장】

투란군의 용장. 321년 6월, 일테리시 밑에서 페샤와르 성을 침공한다. 키슈바드와 싸워 한 번은 무승부를 거두었지만 훗날 다시 싸워 패배해 전사한다.

볼로가세스【파르스 왕가 가계도】

파르스 제9대 샤오 안드라고라스 1세의 아들. 11대 샤오 오스로에스 4세의 아버지.

브라만테【7권 3장】

루시타니아군의 기사. 제2차 아트로파테네 회전에서 선발대를 담당. 메르레인에게 쓰러진다.

브루한【8권 5장】

가면군단에 속했던 투란인 병사. 파르스의 장군 짐사의 동생. 325년 6월 현재 미스르에서 쿠샤흐르라는 이름을 쓰는 히르메스와 함께 행동하고 있다. 히르메스에 대한 존경과 충성은 산 자들 그 누구 못지않다. 가면군단 결성 당시 스무 살 이하. 용맹하고 솔직한 사내. 형 짐사가 투란군을 배신하고 파르스에 넘어갔다 믿고 원망한다.

※작가의 한마디: 브루한

그러니까 히르메스도 나름 사람이 모여드는 캐릭터이긴 하죠(웃음).

비드【2권 1장】

암회색 옷의 노인이 거느린 제자, 일곱 마도사 중 하나. 스승과 함께 사왕 자하크 재림을 꾀한다. 325년 5

월, 엑바타나 왕궁에 잠입해 아후라 비라다를 조종해 아르슬란을 해치려다 실패해 다륜에게 베인다.

◈ ㅅ ◈

산제【2권 1장】

암회색 옷의 노인이 거느린 제자, 일곱 마도사 중 하나. 스승과 함께 사왕 자하크 재림을 꾀한다. 벽이나 바닥, 천장을 뚫고 이동하는 술법을 구사하여 루시타니아의 템페레시온스 단장 힐디고나 페델라우스를 살해했다. 페샤와르 성에 침입하여 고 바흐리즈의 밀서(의 가짜)를 훔쳤을 때 나르사스에게 왼팔이 잘렸다. 훗날 병량창고에 불을 지르고 도망치면서 기이브에게 독수가 된 오른팔을 잘리고 해자에 떨어져 사망한다. 음습하고 집요한 타입(마도사니 당연하려나)인 듯하지만, 두 번이나 팔을 잘리다니 잘 생각해 보면 꽤 얼간이인 듯.

살리마【3권 2장】

신두라의 페슈와 마헨드라의 딸. 가데비 왕자의 아내. '라크슈미 여신의 총아' 라 불릴 만큼 아름다운 여성. 아디칼라냐의 결과를 부정하고 아버지를 살해한 후 도망친 남편의 신병을 라젠드라에게 넘겨주었다.

삼【1권 1장】

파르스군 열두 마르즈반 중 하나. 제1차 아트로파테네 회전 당시 왕도 엑바타나의 수비를 담당했으며 가르샤스흐와 함께 성의 병사를 지휘한다. 성새전과 방어전에 뛰어난 역량을 지녔다. 영리하고 침착하며, 성격은 건실하고 왕가에 대한 충성심이 깊다. 엑바타나 함락 당시 은가면의 투창에 중상을 입었으나 부상이 치유된 후 정체를 밝힌 히르메스에게 충성을 맹세하고 그 후 행동을 함께 한다. 왕도가 해방된 밤, 히르메스가 아르슬란과의 대결에 패한 후 스스로의 퇴진을 결정하지 못했으나 침입한 뱀 모습의 마도사에게서 보검 루크나바드를 지키려 하다 술수에 걸려 목숨을 잃는다.

※작가의 한마디: 삼

이거 참, 훌륭한 사람인데 말이죠. 쿠바드나 기이브보다 훨씬 훌륭한 사람인데요. 이런 사람들은 역시 죽을 장소를 주지 않으면 오히려 불쌍해지거든요. 합장.

샤가드【4권 3장】

파르스의 장군. 아르슬란군이 페샤와르에서 왕도로 진격했을 때 제5부대 보병 1만 5천을 이끌었다.

샤가드【6권 2장】

나르사스의 옛 친구. 나르사스의 아버지의 누나의 남편의 사촌형의 아들이라는, 상당히 먼 친척. 어머니 쪽에 마르얀의 핏줄이 있어 머리카락은 곱슬머리고 나르사스 이상으로 귀공자 같은 용모. 머리도 좋고 검사로서의 역량도 뛰어났지만 부모에게 물려받은 자산으로 방탕한 생활을 보냈다. 한때 왕립학원에서 나르사스와 함께 공부해 연애 문제에서 나르사스에게 도움을 받은 적도 있다. 노예제도 폐지를 위해 나르사스를 돕겠다고 약속하기도 했으나 어느새 뜻을 바꾸어 해적과 손을 잡고 인신매매를 행하게 되었다. 옛 친구에게 실망감을 보이는 나르사스를 함정에 빠뜨리고 왕태자부를 점거해 길란을 지배하려 하지만 실패. 도망치려다 아즈라일에게 왼쪽 뺨을 쪼인다. 아르슬란의 재판으로 1년간 노예로 일하는 벌을 받는다. 324년, 미스르의 아민이 되어 파르스 침공에 조언을 하고 훗날 황금가면을 쓴 채 히르메스 왕자를 연기하게 된 '오른쪽 뺨에 상처가 있는 사내'와의 관련성이 의심스럽다.

샤브랑(흑영黑影)【7권 3장】

다륜의 애마. 털 색은 어둠 같은 검은색. 파르스 최고의 명마.

샤푸르【1권 1장】

파르스군의 열두 마르즈반 중 하나. 이스판의 이복형. 제1차 아트로파테네 회전 당시 서른여섯 살. 성격은 지극히 성실해 딱딱할 정도. 매사에 도리를 지키며 부정을 간과하지 않는다. 이스판에게는 생명의 은인이자 존경하는 형인 동시에 무예와 전술의 스승이기도 했다. 제1차 아트로파테네 회전에서 루시타니아군의 포로가 되어 엑바타나 성벽 앞에서 본보기로 끔찍한 죽음을 당하려 했을 때, '파르스인의 손으로 고통에서 해방시켜 달라' 는 마지막 부탁을 들어준 기이브에게 사살당했다.

셰로에스【4권 3장】

키슈바드 밑에서 천기장을 지내던 무인. 페샤와르에 침입한 산제의 모습을 목격했다.

수루시(생명을 알리는 천사)【2권 4장】

키슈바드가 키우던 매. 아즈라일의 형제. 루시타니아에 점령당한 엑바타나에 잠입한 키슈바드의 부하 밑에서 아즈라일과 함께 소식을 전달하는 역할을 맡고 있었다. 정보를 가지고 날아오르려 할 때 우연히 이를 간파한 히르메스의 검에 걸려 목숨을 잃었다.

스포르차【7권 3장】

루시타니아의 기사. 제2차 아트로파테네 회전에서 다륜과 싸워 목을 베임.

시칸다르【8권 1장】

튀르크의 장군. 튀르크 남쪽 국경지대의 자라프리크 고개에서 벌어진 파르스군과의 전투 때 싱그 장군 밑에서 지휘를 맡는다. 다륜의 창에 목숨을 잃는다.

싱그【8권 1장】

튀르크의 장수. 튀르크 남부 국경지대의 자라프리크 고개에서 일어난 파르스군과의 전투에서 주장을 맡았다. 패전 후 신두라에서 코트카프라 성을 점거했으나 파르스군의 습격을 받아 다륜과 싸워 패했다. 포로가 되지만 목숨을 건져 카드피세스의 편지를 카르하나 왕에게 전달하는 역할을 맡았다.

싱량 공주【동방순력東方巡歷】

세리카 제52대 황제의 딸. 공주라는 신분이면서도 직접 낭자군娘子軍을 이끌고 자신을 화관장군花冠將軍이라 칭한다. 기마술과 궁술에 뛰어난 아름다운 여기사. 흑진주를 방불케 할 정도로 반짝이는 두 눈, 명공이 심혈을 기울여 조각한 듯 수려한 코와 입. 317년 5월, 파르스 사절단의 수비대장으로 세리카를 방문한 다륜과 만났다. 그 후 흑의기사와 어떠한 경위가 있었는지 상세한 내용은 속편을 기대하시라.

아라발리【9권 1장】

신두라의 장군. 325년, 기병 2천, 보병 1만 5천을 이끌고 국내에 침입한 가면군단과 격돌해 일격에 분쇄당했으며, 간신히 전장을 이탈해 수도 우라이유르에 패전 소식을 알렸다.

아르가슈【2권, 파르스 왕 가계도】

파르스 제10대 샤오 카톨리코스의 아들. 예술과 문학에 관심이 깊었다. 왕태자로 책봉된 열여덟 살 때 엘브루의 초상화를 보고 사랑에 빠져 가슴을 태운 나머지 사망.

아르슬란【1권 서장】

이 이야기의 주인공. 325년 현재 파르스 제19대 샤오. 제18대 샤오 안드라고라스 3세와 왕비 타흐미네의 자식으로 알려졌으나, 진짜 부모는 이름도 없는 기사. 젖먹이 때 안드라고라스에게 몰래 팔려 왕자로 자라났다. 눈동자는 '맑게 갠 밤하늘 색'. 온후하고 느긋한 성격에 총명함, 솔직함, 겸허함, 근면함 등 군주로서 필요한 자질을 타고 태어났다. 또한 자신의 이상을 추구하는 기질도 강하다. 첫 출전이었던 아트로파테네 회전에서 패배하여 다륜의 비호를 받으며 도망친 후 온갖 전투에서 모험을 겪고 많은 동료를 얻어 왕으로서 성장해 나간다. 혈통에 의존하지 않고, 영웅왕 카이 호스로의 영에게 파르스의 국왕으로 인정을 받아 보검 루크나바드를 얻는다. 루시타니아군에게 점령당했던 왕도를 탈환해, 안드라고라스가 죽은 후 321년 9월에 즉위. 유년기를 유모 부부와 함께 엑바타나 시내에서 살아 아자트나

집시 아이들과 놀았던 경험을 통해 서민의 생활이나 사고방식을 이해하고 그들의 권리를 지키는 시정방침을 관철하고 있다. 즉위 후에는 국법을 개정하여 국내의 모든 노예를 해방해 '사오슈얀트(해방왕) 아르슬란' 이라는 이름은 국내는 물론 주변 뭇 나라에까지 퍼져나간다. 왕의 무거운 책무를 느끼면서도 고난을 함께 했던 신하들의 지지를 받는다는 것을 든든하게 여기고 그들의 신뢰에 합당한 왕이 되고자 노력을 아끼지 않는다.

※작가의 한마디: 아르슬란

처음에는 말이죠, 철저하게 개성을 드러내지 않으려고 했어요. 왜냐면 이 캐릭터의 원래 입장은 '공허한 그릇' 이거든요. 실제로 활약하는 건 부하 기사들이고, 그들이 활약할 무대가 왕이라는 사람의 형태를 띠고 있다는 스토리의 패턴은 동서양을 막론하고 어디나 존재하죠. '아서 왕 이야기' 도, '샤를마뉴 전설' 도 그렇습니다. 다만 뭐냐, 처음에 그렇게 생각했다는 것뿐이고, 실제로는 점점 사서 고생을 하는 고난 캐릭터가 되어가더라고요(웃음).

성격은 꽤 착한 아이지만, 사실 착한 아이는 다른 캐릭터에 비해 쓰기 힘들어요. '착한 아이' 는 좀처럼 '재미난 아이' 가 되기 힘들죠. 게다가 착한 아이 캐릭터는 독자들이 별로 선호하지 않는 거 아닐까 생각해서, 아르슬란을 좋아한다는 말을 들으면 '잘 됐구나' 하고 아르슬란의 어깨를 두드려지고 싶어지죠(웃음).

어수룩한 이상가의 측면도 있지만, 전혀 이상이 없다면 삭막하고 재미도 없죠. 그 점은 적절한 가감이란 게 참 어렵지만요.

아르장【2권 2장】

암회색 옷의 노인이 거느린 제자, 일곱 마도사 중 하나. 스승과 함께 사왕 자하크 재림을 꾀한다. 땅에 숨어들어 땅 속을 달리는 지행술 '가다크'를 구사한다. 아트로파테네에서 루시타니아군의 유력자 페델라우스 백작을 살해했다. 교외의 마을에서는 나르사스를 습격했지만 그의 책략에 걸려들어 불에 타 죽었다.

아르타바스【2권, 파르스 왕 가계도】

파르스 제7대 샤오. 4대 샤오 티그라네스의 손자이며 보란의 아들. 카이 호스로의 현손. 6대 샤오 고타르제스 1세의 사촌 동생. 젊어서 사망.

아시【1권 3장】

파르스 신화에 등장하는 미와 행운의 여신. 처녀의 수호신이기도 하다. 기이브가 자신의 수호신으로 숭상하며 또한 파랑기스와 동일시하는, 찬란히 빛나는 여신.

아이야르【8권 4장】

파르스의 에란 키슈바드와 그의 아내 나스린 사이에서 태어난 장남. 325년 현재 두 살. 샤오 아르슬란이 붙여 준 이 이름은 '의협심 있는 용사'라는 뜻이다. 왕궁을 마음대로 들락거릴 수 있는 조그만 아이돌.

아즈라일(죽음을 알리는 천사)【2권 1장】

파르스의 마르즈반 키슈바드가 키우는 매. 형제인 수루시(생명을 알리는 천사)와 함께 길러졌다. 똑똑하며 아르슬란을 잘 따라, 날카로운 부리와 발톱으로 몇 번이나 그들의 위기를 구해주었다. 이름의 의미인 '죽음을 알리는 천사'란 파르스 신화에 등장하는 아름다운 천사로, 신들의 뜻을 받들어 인간에게 죽을 때를 알려주는 역할을 맡고 있다.

아토울【파르스 왕가 가계도】

파르스 제12대 샤오 안드라고라스 2세의 아들이며 13대 샤오 야즈데게르드 1세의 동생.

아투카【10권 3장】

가면군단의 일원이었으며, 히르메스를 따라 미스르까지 건너온 투란인.

아하바크【6권 2장】

321년 무렵 남쪽 바다를 지배하여 '해적왕'이라 불렸던 파르스인. 원래는 해상 상인이었으나 어쩔 수 없이 무장하여 이윽고 약탈도 하게 되었다. 백 척이 넘는 무장상선과 군선을 가졌으며 장사로, 또한 해적업으로 막대한 부를 거머쥐었다. 천수를 다한 후 그가 소유했던 어마어마한 보물이 어딘가에 숨겨졌다는 전설이 있다.

안드라고라스 1세【파르스 왕가 가계도】

파르스 제9대 샤오. 8대 샤오 오스로에스 3세의 장남이며 10대 샤오 카톨리코스의 형.

안드라고라스 2세【파르스 왕가 가계도】

파르스 제12대 샤오. 11대 샤오 오스로에스 4세의 아들.

안드라고라스 3세【1권 서장】

파르스 제18대 샤오. 16대 샤오 고타르제스 2세의 차남이며 17대 샤오 오스로에스 5세의 동생. 가계도 상으로는 아르슬란의 아버지. 근골이 우락부락한 장한이며 덥수룩한 수염과 날카로운 안광으로 타인을 위압한다. 성격은 대담하고 패기가 강하다. 전사로서도 뛰어나 그의 무용담은 이웃 어느 나라에도 견줄 자가 없다. 즉위 전부터 파르스의 에란으로 외적과의 전투에서 불패를 자랑했으며 304년에 즉위한 후로는 대륙공로의 위대한 수호자로 이름을 떨쳤다. 왕으로서의 긍지를 중시한 나머지 다른 이들의 말에 귀를 기울이지 않는 고집스러운 면이 있다. 자신의 손으로 멸망시킨 공국의 공비 타흐미네를 아내로 삼아 맹목적으로 사랑하였으며, 그 집착

이 형 오스로에스와의 대립을 낳았고, 또한 왕태자 아르슬란의 출생에 크게 영향을 미친다. 아트로파테네 회전에 패배하여 루시타니아군에 의해 구금되지만 반년 후 자력으로 탈출해 페샤와르에서 아르슬란을 추방하고, 다시 파르스군의 병권을 장악한 후 엑바타나로 귀환한다. 그러나 루시타니아 국왕 이노켄티스 7세와 함께 북쪽 탑에서 추락사했다. 죽음은 너무도 허망했으나 훗날 유체가 도둑맞았다는 사실이 발견된다. 앞으로의 활약(?)도 기대할 만하다.

※작가의 한마디: 안드라고라스

최초에 등장했을 때 독자들의 인상을 얼마나 좋은 방향으로 배신해 나갈지 하는 것이 포인트였다고 할 수 있습니다. 단순한 '아들을 냉대하는 마음에 안 드는 아버지'에서 시작해, '사실은 다륜보다도 강한 거 아냐?' 하는 점까지 끌고 가야 했죠.

알리칸테【8권 3장】

보댕 파 마르얌 귀족. 트라이칼라 성주이자 백작. 범용한 사내. 보댕의 명령으로 기스카르를 성내의 감옥에 유폐했다. 적자가 없어 부인의 조카 카스텔로를 상속인으로 삼았으나 정부에게서 사내아이가 태어나자마자 그 권리를 빼앗는 바람에 원한을 샀다. 기스카르의 탈출을 알았을 때 보댕의 분노를 두려워해 '옥중에서 병사' 했다고 보고했으나 기스카르의 봉기로 사실이 탄로나 처형당한다.

알프리드【2권 3장】

조트족 족장 헤이르타슈의 딸. 메르레인의 여동생. 325년 현재 스물한 살. 불그스레한 머리카락, 호두색 피부, 모양 좋은 턱, 까만 보석처럼 빛나는 눈동자. 이목구비는 아름답고 섬세하기까지 하다. 매우 기질이 드세지만 총명하며 정이 많다. 검술, 기마술, 궁술 실력은 어지간한 남자들이 따라올 수 없을 정도. 눈앞에서 히르메스에게 아버지를 잃었으며, 자신도 위기에 빠졌을 때 지나가던 나르사스 덕에 목숨을 건진다. 이후 동행하여 아르슬란의 측신 중 한 명이 된다. 나르사스의 지혜와 용기, 인격에 경의를 품고 그의 아내가 되겠다고 멋대로 결정해놓았다. 그 옹고집과 일편단심은 이따금 나르사스를 당황케 한다. 엘람과는 나르사스를 사이에 둔 좋은 싸움 친구. 원래 이어야 할 조트 족장의 자리를 오빠에게 떠넘겼다. 훗날 '사오슈얀트 아르슬란의 십육익장十六翼將 중 하나가 된다. 요리는 주특기인 듯. 쥐를 싫어한다.

※작가의 한마디: 알프리드

우선 나르사스를 곤란하게 만들어주려고 만든 캐릭터

이기는 했습니다. 조금 더 여성 캐릭터를 늘려도 좋지 않을까 하는 생각도 있었고요. 하지만 내보내고 나니 알아서 성장해 버리더군요. 작가 자신이 봤을 때도 '아, 이런 상황에 이렇게 나오시겠다?' 하는 면이 꽤 있었습니다.

의외로 여성 팬이 많은 점이 기뻤죠. 역시 동성이 선호하는 캐릭터란 알 듯 모를 듯하니까요.

암회색 옷의 노인【1권 5장】

사왕 자하크 재림을 획책하는 마도사들의 두령. 마도의 힘은 강대하여 평원에 안개를 일으키거나 짧은 거리의 순간이동 등이 가능하다. 큰 힘을 사용하면 체력을 소모하여 노인이 되지만 회복되면 젊고 정력적인 사내로 돌아간다. 실제 나이는 알 수 없으나 적어도 고타르제스 2세 시절부터 암약했던 것으로 보인다. 사왕 자하크의 재림을 앞당기기 위해 파르스와 루시타니아 양 세력에 많은 피를 흘리게 만들 목적으로 행동했다. 엑바타나가 해방된 날 밤에 보검 루크나바드를 훔치려다 실패하여 최후를 맞는다. 제자들이 부활시키려 하고 있다.

야사만【10권 1장】

할림과 같은 엑바타나 시내의 공중목욕탕에서 근무하는 여성. 나이는 서른 정도. 조금 토실토실한 몸집에 옅은 갈색 피부. 표정도 말투도 활달하다. 할림이 은근슬

쩍 마음에 두고 있는 상대.

야즈데게르드 1세【파르스 왕가 가계도】

파르스 제13대 샤오. 12대 샤오 안드라고라스 2세의 아들.

야즈데게르드 2세【파르스 왕가 가계도】

파르스 제15대 샤오. 16대 샤오 고타르제스 2세의 아버지. 안드라고라스 3세의 할아버지.

야즈데게르드【파르스 왕가 가계도】

파르스 제3대 샤오 오스로에스 2세의 손자이며 페로즈의 아들. 8대 샤오 오스로에스 3세의 아버지. 카이 호스로의 현손.

에스텔【4권 4장】

에투알이라는 남자 이름을 쓰는 루시타니아인 소녀. 어깨 아래까지 닿는 엷은 갈색 머리카락, 흰 얼굴, 짙은 벌꿀색 눈동자를 가졌다. 형제가 없는 기사 가문을 잇기 위해 수습기사로 종군했다. 산 마누엘 성 전투에서 아르슬란군의 포로가 된다. 이알다바오트 교의 열렬한 신도로 이교도인 아르슬란에게 도움을 받은 데 혐오감을 품지만 그들의 생각이나 태도를 접해감에 따라 이알다바오트의 교의에만 사로잡힌 자신의 편견을 깨닫기 시작한다. 매우 기질이 드세며 행동력은 무모하다 해도 좋을 정도지만, 언제나 최선을 다하는 모습은 주위 사람들에게 기운을 불어넣는다. 엑바타나에 유폐된 이노켄티스 7세를 구하려다 실패한다. 아르슬란이 엑바타나를 해방시킨 후 돈 리카르도와 함께 이노켄티스의 유골을 지키며 고향 루시타니아로 귀국한다. '루시타니아에서 가장 씩씩한 수습기사'.

※작가의 한마디: 에스텔

아르슬란의 올곧은 면을 올곧게 받아들여 버리는 캐릭터. 기이브 같은 사람이 보자면 '애들끼리 발끈해서 뭐라뭐라 하고 있네'가 되겠지만요(웃음). 한 명의 캐릭터에게는 다면성이 있어서, 각각의 면에 대응되어 어울릴 만한 캐릭터를 만들어나가다 보면 이렇게 계속 태어나는 법이죠. 아르슬란과 어떻게 되냐고요……? 글쎄요, 어떻게 할까~(웃음).

아니, 언젠가 돌아올 거예요. '아르슬란은 소문으로 에스텔이 죽었다는 소식을 들었다.'가 되지는 않을 테니까요. 저도 그렇게까지 독자들을 적으로 만들고 싶진 않아요(웃음).

에투알【4권 4장】 → 에스텔

엘람【1권 2장】

나르사스의 충실한 레타크. 군략이나 전술을 배우는 면에서는 나르사스를 스승으로 따르는 국왕 아르슬란의 사형제이기도 하다. 엷은 갈색 피부, 까만 머리, 흑암색 눈동자. 총명하고 생기가 넘치며 성격은 솔직하고 쾌활하다. 부모님은 굴람이었으나 나르사스가 해방시켜 아자트가 되었다. 나르사스를 섬기는 이유는 부모님의 유언 때문이지만 나르사스의 곁에 있는 것이 기쁨이자 긍지이기도 하다. 처음에는 아르슬란에게 거리를 두었으나 고난을 함께 하면서 좋은 벗으로 친교를 다져나간다. 나르사스에게 달라붙어 떨어지려 하지 않는 알프리드와는 말싸움이 끊이질 않는다. 훗날 '사오슈얀트 아르슬란의 십육익장' 중 한 명이 된다.

※작가의 한마디: 엘람

상식적이고, 아르슬란이 이상으로 치닫기 쉬운 면도 착실하게 보고 있고, 가장 어른스럽지 않을까요, 사실은. 하지만 이것도 알프리드가 얽힌 순간……. (웃음)

엘레노어【4권 2장】

마르얌 국왕 니콜라오스 4세의 왕비. 이리나 공주의 어머니. 루시타니아군에게 사로잡혀, 목숨을 살려주는 조건으로 루시타니아군에 투항하지만 대주교 보댕과 템페레시온스가 왕궁에 불을 질러 국왕과 함께 죽었다.

엘만고【7권 1장】

루시타니아군의 기사. 기스카르의 위기를 구하고자

달려온 점을 평가받아 독전대 지휘관에 임명된다. 사하르드 평원 회전에서 파랑기스에게 목숨을 잃는다.

엘브루【10권 1장】

파르스 5대 샤오 킨나무스의 왕비. 절세미녀. 스물다섯 살의 젊은 나이에 숨졌다. 그녀의 미모는 노래로 남았으며 그림으로도 그려져 그야말로 전설이 되었다.

오르가노【6권 5장】

루시타니아군의 고명한 기사. 주이만드 평원 전투에서 동생 자코모와 함께 쿠바드에게 쓰러진다.

오르가스【3권 5장】

루시타니아 궁정서기관. 기스카르 밑에서 행정 실무를 담당한다. 용수로 복구공사의 진척 상황을 기스카르에게 보고하고 공사에 종사할 병사의 증원을 요청한다. 제2차 아트로파테네 회전 종결 때 다륜의 포로가 되어, 목숨을 건지기 위해 기스카르가 있는 곳을 밝힌다.

오른쪽 뺨에 흉터가 있는 사내【8권 1장】

파르스인 사내. 324년 현재 미스르의 아민(객장). 오른쪽 뺨에 발톱으로 깊이 도려져나간 듯한 초승달 모양의 흉터가 있다. 햇살과 바람과 모래에 거칠어진 칠흑색 피부. 그러나 눈꼬리에는 귀공자의 풍격이 있다. 미스르 국왕 호사인 3세의 유도로 파르스의 왕좌를 손에 넣기로 결의한다. 히르메스로 가장하기 위해 상처가 있는 오른쪽 뺨을 불에 지진다. 그 고통에 견뎌낼 만큼 아르슬란과 나르사스에 대한 증오가 깊다.

오스로에스 1세【파르스 왕가 가계도】

파르스 제2대 샤오. 영웅왕 카이 호스로의 차남. 형 쿠샤흐르를 살해하고, 또한 왕권을 노려 마잔다란 평원에서 아버지와 칼을 마주했다.

오스로에스 2세【파르스 왕가 가계도】

파르스 제3대 샤오. 2대 샤오 오스로에스 1세의 아들이며 카이 호스로의 손자.

오스로에스 3세【파르스 왕가 가계도】

파르스 제8대 샤오. 3대 샤오 오스로에스 2세의 증손자로 페로즈의 손자, 야즈데게르드의 아들. 제7대 샤오 아르타바스가 일찍 죽었기 때문에 방계임에도 왕위에 올랐다.

오스로에스 4세【파르스 왕가 가계도】

파르스 제11대 샤오. 9대 샤오 안드라고라스 1세의 손자이며 볼로가세스의 아들. 카톨리코스와 헤카톤의 동생. 아내는 10대 샤오 카톨리코스의 손녀. 친아들보다도 조카를 점찍어 왕위를 물려주려 해 궁정의 분열과 투쟁을 초래했다.

오스로에스 5세【1권 서장】

파르스 제17대 샤오. 16대 샤오 고타르제스 2세의 장남. 18대 샤오 안드라고라스 3세의 형. 가계도 상으로는 히르메스의 아버지. 미신과 예언에 현혹된 부왕 고타르제스를 동생 안드라고라스와 함께 몰래 시해하여 즉위했다. 왕비가 병사한 후에는 독신으로 살았으나 안드라고라스가 바다흐샨에서 데리고 돌아온 타흐미네와 결혼하기를 원해 동생과 대립한다. 304년, 낙마의 부상이 화근이 되어 서른 살의 젊은 나이에 사망한다. 죽은 왕비가 낳은 왕자 히르메스(사실 친아버지는 고타르제스였다고 한다.)를 암살할 것을 동생에게 유언으로 남겼다고 한다. 파르스 왕가의 추악한 장면을 모조리 지켜보았다고 할 수 있는 인물.

오쿠즈【10권 1장】

엑바타나의 약사. 스무 살이나 어린 미녀를 아내로 두었으나 아내가 술고래라 폭력에 시달리고 있는 모양.

오흐르마즈드【파르스 왕가 가계도】

파르스 제14대 샤오. 12대 샤오 안드라고라스 2세의 손자.

올라베리아【4권 5장】

루시타니아의 기사. 가느다란 콧수염을 기른 장년의 사내. 기스카르의 명령으로 히르메스를 추적하고 동향을 조사했다. 데마반트 산에서 히르메스와 기이브의 싸움을 목격하고, 나아가 대지진을 경험했다. 훗날 마르얌에서 내전이 일어났을 때 살아남아 새 국왕이 된 기스카르의 사자로 미스르를 방문한다. 그곳에서 의식을 잃고 디즐레 강에 떠내려온 파리자드를 우연히 구해주어 마르얌으로 데리고 돌아온다. 스토리 내에서는 은근슬쩍 중요한 역할을 짊어지는 등장인물 중 하나.

※작가의 한마디: 올라베리아

의지하던 두 명장이 전사해 기스카르에게는 신뢰할 수 있는 부하가 줄어들었기 때문에 그만큼 이런 인물도 영달할 수 있었죠. 그런 점은 각 캐릭터의 운이라고 해야겠지만, 이를 작가가 처음부터 전부 계산했느냐고 하면 사실은 그렇지도 않습니다. 이쪽에 구멍이 뚫리면 그걸 메울 존재를 저쪽에서 가져오죠. 그런 일이 작품세계 속에서의 필연성이나 현실감 같은 것으로 이어진다면 그것이 작가에게는 가장 좋겠지만요.

웨스커【8권 3장】

마르얌의 기사. 반 보댕 파벌의 급선봉인 란체로에게 신임을 받아 유폐 중인 기스카르를 구출 및 추대하는 계획에 참가했으나 보댕과 내통해 란체로를 고발한다. 훗날 란체로의 정부에게 살해당한다.

유린【10권 1장】

파르스의 기사 바니팔의 삼녀. 투스의 아내 중 하나.

325년 6월 현재 열다섯 살. 느긋한 소녀. 투스를 흠모해 항상 곁을 떠나지 않는다.

은가면【1권 1장】 → 히르메스

이그릴라스【9권 5장】

파랑기스의 옛 연인. 검은 머리카락에 갈색 눈동자, 큰 키에 멋진 용모를 가진 젊은이. 학업이 우수하고 말솜씨도 뛰어났으며 신관으로서 우수하였으나, 자존심과 출세욕이 강했다. 출세할 수 없다는 데 실망하여 모든 것을 신분제도 탓으로 돌리고 타락의 길을 걷는다. 소행이 좋지 못한 이유로 결국 죄를 뒤집어쓰고 호송되던 도중 도주를 꾀했으나 절벽에서 떨어져 사망했다.

이노켄티스 7세【1권 1장】

320년 당시 루시타니아 국왕. 키가 크고 살집이 좋지만 혈색이 나쁘며 피부에는 생기가 없다. 이알다바오트교의 열렬한 신봉자로 육식, 음주를 스스로 금하고 매일 세 차례의 예배를 30년 동안 하루도 빼놓지 않았다. 현실감각이 떨어져 왕으로서 수행해야 할 실무를 모조리 동생 기스카르에게 맡겨놓았다. 포로로 삼은 파르스 왕비 타흐미네와의 결혼을 원해 국교회의 대주교 보댕과 대립, 이윽고 마도사에게 이용당해 광인으로 전락하고 유폐된다. 엑바타나 탈환을 둘러싼 파르스군의 세 세력이 일으킨 혼란 속에서 안드라고라스를 길동무 삼아 탑에서 투신했다.

이리나【4권 3장】

마르얌 국왕 니콜라오스 4세의 차녀. 공주. 지나치리만치 희고 섬세하며 아름다운 얼굴과 황동색 머리카락을 가졌다. 병으로 시력을 잃고, 또한 병약하면서도 왕녀의 기품과 긍지를 잃지 않는다. 어렸을 때 마르얌에 잠시 몸을 의탁했던 소년 시절의 히르메스와 만나 그의 다정함에 끌렸으며, 그가 떠난 후로도 계속 사모하였다. 마르얌이 루시타니아군에 의해 멸망당한 후 몰래 탈출하여 배로 파르스에 피신해, 메르레인의 호위를 받으며 히르메스와 재회한다. 아르슬란에게 왕도가 해방된 날 모든 것을 잃은 히르메스와 단둘이 파르스를 떠난다. 튀르크에서 히르메스와 평화로운 결혼 생활을 보내지만 임신 중에 병사한다.

이스판【4권 1장】

파르스의 장군. 321년 4월, 아르슬란이 띄운 격문에 호응하여 휘하로 들어간다. 당시 20대 초반. 강인하고 다부진 중간 체구에 맑은 호박색 눈동자. 무예 전반에 뛰어나다. 성격은 성실하여 약간 고지식할 정도. 루시타니아군과 싸워 죽은 마르즈반 샤푸르의 이복동생. 첩실의 자식이었으며 아버지의 정처에게 질투를 사 두 살 때 어머니와 함께 겨울 산속에 버려졌지만 샤푸르가 달려와 이들을 구해주었다. 이때 늑대가 토끼를 사냥해 곁에 놓아주고 갔다는 데에서 '파르하딘(늑대가 기른 자)' 이라는 별명이 붙었다. 자신을 지켜준 형을 항상 존경하며, 또한 스승으로 흠모하기도 한다. 주워온 두 마리의 새끼늑대에게 카이반(토성), 바흐람(화성)이라는 이름을 주고 스스로 기르고 있다. 훗날 '사오슈얀트 아르슬란의 십육익장' 중 하나가 된다.

※작가의 한마디: 이스판

아르슬란 진영이, 말하자면 서로 흉금을 터놓은 대여섯 명에서 점점 늘어나 조직으로 성장해나가는 과정에서 꼭 필요했던 캐릭터였죠. '이런 장면에서 별동대가 움직인다면 그걸 지휘하는 사람이 있어야지' 하는 필연성에서 태어난, 역할이 먼저 있었던 캐릭터인 셈입니다. 처음에는 역할 뿐이던 사람이라도 점점 살이 붙으면서 개성이 드러나는, 그런 방식으로 만든 캐릭터죠. 자라반트나 투스도 그렇습니다.

그러니 한번 잘못하면 단순히 당하는 역할이 되어 왕도 탈환 전투 때 전사하고 끝날 가능성도 없지는 않았습니다. 생각과는 달리 다들 살아남았지요(웃음).

이알다바오트【1권 1장】

이알다바오트 교의 유일절대신. 고대 루시타니아어로 '성스러운 무지' 를 뜻한다.

이팜【9권 2장】

튀르크의 장군. 신두라를 침공한 가면군단의 군감으로 파견되었다. 싱그 장군의 여동생과 결혼한 사이. 히르메스에게 코트카프라 성에 틀어박힌 싱그의 3만 튀르크군과 합류할 것을 주장했다. 가면군단의 투란 병사를 매도한 탓에 격노한 브루한에게 살해당한다.

일테리시【5권 1장】

투란의 장군. '지농(친왕)' 이라는 경칭으로 불린다. 아버지는 한때 대륙공로에 견줄 자가 없는 무용을 떨쳤지만 다륜과 싸워 목숨을 잃은 투란의 왕제. 중간 체구이며, 볕에 그을린 얼굴의 이마와 왼쪽 뺨에는 하얗게 두드러진 검상이 있다. 날카롭고 용맹한 안광을 뿜어낸다. 젊고 기질이 격렬한 야심가로 '광전사' 라 불린다. 토크타미시 왕을 시해하고 스스로 국왕이 되어 전군을 지휘하지만 나르사스의 책략에 빠져 패배한다. 홀로 도망치다 마도사들의 수중에 떨어진다.

◈ ㅈ ◈

자라반트【4권 1장】

파르스군의 용맹한 무장. 옥서스 영주 문지르의 아들. 321년 4월, 아르슬란이 띄운 격문에 호응해 페샤와르에 모인 무장 중 하나. 당시 나이는 20대 초반. 거한이며 장사. 동안인 것을 싫어해서인지 뺨에 무성한 수염을 길렀다. 안드라고라스 왕이 아르슬란을 추방했을 때, 포로가 되어 있었던 적장 짐사와 힘을 합쳐 페샤와르를 탈출해 함께 아르슬란군에 가담한다. 왕도 회복 후 토목공사에 의외의 재능을 보인다. 훗날 '사오슈얀트 아르슬란의 십육익장' 중 하나로 꼽힌다.

※작가의 한마디: 자라반트

처음에는 자스완트와 엮어서 독자들에게 나쁜 인상을 주고…… '마음에 안 드는 놈'으로 생각하게 만든 다음 사실은 그렇지도 않았다는 반전을 심어놓으면 어떨까 했습니다. 공사 재능에 대한 것도 전문가 캐릭터를 만드는 것보다는 의외의 인물이 의외의 재능을 발휘하는 편이 집단 내에서 없어서는 안 될 사람이 되어가는 데 좋지 않을까 생각했기 때문이었습니다. 의외로 이런 사람이 실제로 있기도 하죠.

자스완트【3권 2장】

아르슬란에게 충성을 맹세한 신두라 인 장수. 갈색 피부와 마노색 눈동자. 흑표처럼 나긋나긋하고 정한하다. 성격은 매우 성실. 신두라의 페슈와 마헨드라의 일족이며 원래는 가데비 일파의 첩자로 라젠드라군에 숨어들었으나 이를 알아차린 라젠드라에 의해 파르스군의 안내인으로 뽑혔다. 헌신적으로 가데비를 지키지만 보답을 받지 못하며, 심지어 아버지처럼 흠모하던(친아버지일 가능성도 있었다) 마헨드라까지도 그의 손에 잃는다. 반면 아르슬란은 자스완트를 세 번에 걸쳐 살려주어, 신두라의 내란이 끝난 후 아르슬란의 부름에 호응하여 그의 밑으로 들어간 후로는 항상 곁에서 아르슬란을 지킨다. 그의 충실함은 곧잘 양치기 개에 비견된다. 훗날 '사오슈얀트 아르슬란의 십육익장' 중 한 명으로 꼽힌다. 남국에서 자라난 탓인지 추위에 매우 약하다.

※작가의 한마디: 자스완트

나라가 있고, 임금이 있고, 신하가 있고…… 그런 식의 파르스 국수주의가 되어버려선 재미가 없기 때문에, 역시 이쯤 해서 범국가적인 유대관계가 있어도 좋지 않을까 생각했습니다. 마음과 의리로 맺어진 관계. 뭐, 말하자면 야쿠자 두목과 부하 같은 관계죠.

성격은 매우 딱딱하고 지나치게 성실하지만, 그 딱딱함이 오히려 유머를 풍기도록 그려낼 수 있다면 싶었습니다. 유머라고 해서 꼭 개그를 친다는 건 아니고, 그 캐릭터 자신이나 그가 주장하는 바를 상대적으로 바라보는, 말하자면 여유 같은 것이지요.

자코모【6권 5장】

루시타니아군의 기사. 주이만드 평원 전투에서 형 오르가노를 죽인 쿠바드에게 복수하려 하지만 형과 마찬가지로 창에 찔려 전사했다. 형제가 나란히 등장하자마자 전사한 단역. 그러나 나란히 이름을 얻었다는 데에 조그만 드라마가 느껴……질지도 모른다.

자하크【1권 5장】

파르스 왕조 탄생 이전, 천 년에 걸쳐 지상을 지배하고 포악의 극치를 달렸던 마왕. '사왕蛇王'이라는 이름은 두 어깨에 두 마리의 검은 뱀이 돋아난 모습에서 유래한다. 거무스름한 얼굴과 붉은 두 눈을 가진 초상화가 남아 있다. 뱀은 인간의 뇌를 먹이로 삼았다. 과거 성현왕 잠시드를 톱으로 썰어 죽이고 시체 조각을 바다에 빠뜨려 부와 권세를 모조리 빼앗았다. 카이 호스로와 365명의 동료에 의해 마잔다란 평원에서 패배해 데마반트 산 지하 깊은 동굴에 갇혔다. 굵은 사슬로 온몸을 묶인 데다 두 손발의 힘줄이 잘리고, 몸 위에 스무 장의 두꺼운 석판이 얹혔으며 카이 호스로의 보검 루크나바드에 의해 봉인되어 있다. 그러나 한 장의 석판을 15년, 스무 장을 300년 동안 깨고 부활한다고 전해진다. 마도사들은 그를 신봉하며 부활을 고대하고 있다. 아무래도 부활할 날이 다가온 듯. 앞으로 얼마나 설쳐

줄지 기대와 공포로 등줄기가 짜릿짜릿.

※작가의 한마디: 자하크

'앞으로의 동향이 주목된다.' 고 하면 다들 화를 내시겠죠(웃음). 애초에 캐릭터라고 해도 될까요, 이 사람(?)은.

파르스인이라면 누구나 벌벌 떨지만 짐사나 자스완트는 모릅니다. 그런 점이 앞으로의 키포인트가 되겠지요. 나르사스조차 어렸을 때는 '나쁜 짓하면 사왕이 온다' 는 말을 들었고 성장하면서 그 공포를 극복했으니. 나르사스도 다륜도 두려워할 것 없다고 머리로는 알지만, 안다는 건 또 다른 차원이라…….

그래도 뭐, 이런 존재는 나올 때까지가 재미있는 법이니까요(웃음).

잔데【2권 2장】

히르메스의 충신. 파르스의 마르즈반 칼란의 아들. 다륜에게 죽은 아버지의 뜻을 이어 히르메스를 보좌했다. 충성심은 견줄 사람이 없다. 죽은 아버지 칼란에게서 중후함을 빼고 대신 다부진 면모를 더한 것 같은 얼굴. 쩌렁쩌렁 울리는 듯 커다랗고 굵은 목소리. 정한한 박력이 있으며 용맹함도 아버지 이상. 성격은 좋게 말하면 순박하고 나쁘게 말하면 단순하다. 메이스를 다루는 실력이 출중하다. 아르슬란이 즉위한 후 히르메스와 헤어져 3년 동안 유랑 생활을 계속한다. 훗날 미스르에서 황금가면을 진짜 히르메스라 믿고 충성을 다하지만 가짜임을 알아차리고 도주해, 추적대를 지휘하는 마시니사와 1대 1로 싸운 끝에 암습을 당해 죽는다.

※작가의 한마디: 잔데

이 사람은 *오이시 쿠라노스케라고나 할까요(웃음). "억울하신 심정 헤아리고도 남습니다."라는 소리를 하니까요, 실제로. 히르메스와 함께 성심성의껏 찬탈자를 해치우려 했으니, 진짜 이야기의 정통성으로 보자면 정의의 편이겠지만요(웃음). 그러니까 성심성의란 것도 상대의 입장에서 보면 어떻게 보일지 생각해봐야죠.

히르메스의 입장에선 자신은 정의를 관철하고 있으니 이를 따르는 사람이 있는 건 당연하겠지만, 차츰 존재감이 커졌습니다. 독자들 중에서 아까운 사람을 잃었다고 말하는 분이 있으면 성공한 거죠. 그가 죽은 후에야 히르메스가 미스르에 쳐들어간 아이러니한 전개이기는 하지만, 실제로 살아서 히르메스와 재회하고 기뻐했다면 그 후 이야기는 진전이 없었겠지요.

잠시드【1권 1장】

*오이시 쿠라노스케: 본명은 오이시 요시오. '츄신구라'로 유명한 겐로쿠 아코 번 사건에서 주군의 원한을 갚기 위해 동료 46명을 규합한 인물.

고대 파르스 지방을 다스리던 왕이며 '성현왕'이라 칭송을 받았다. 사왕 자하크에게 살해당한다.

장 보댕【1권 3장】

루시타니아 왕국국교회의 대주교. 이알다바오트 신의 이름 아래 마음 내키는 대로 이교도 대량학살이며 분서를 자행해, 현실적인 통치를 추구하는 왕제 기스카르와 대립한다. 이윽고 대립이 표면화되자 템페레시온스와 함께 엑바타나를 떠나 자불 성에서 농성을 벌이지만 히르메스의 공격으로 함락당한다. 도망쳐 마르얌에서 복권을 꾀하고 안정을 찾은 것처럼 보였을 때 파르스에서 쫓겨난 기스카르에 의해 다시 내몰리는 신세가 된다. 권력에 대한 망집이 무시무시하다. 패배해도 항상 살아남아 도망치는 모습은 으스스할 정도.

※작가의 한마디: 보댕

역시 이 인간도, 죽어도 뉘우치지 않는 그런 종류의 캐릭터죠.

젤리코【6권 3장】

루시타니아의 귀족. 자작. 은가면이 엑바타나 왕궁을 습격해 이리나를 데리고 도망쳤을 때 이를 추격해 죽이도록 기스카르에게 명령을 받아 1만 기를 이끌었다. 겁쟁이는 아니지만 무모하다. 삼에게 목숨을 잃었다.

조반나【4권 2장】

마르얌 왕국의 여관장女官長. 이리나 공주와 함께 마르얌을 탈출해 배로 파르스의 다이람 지방에 표착한다. 일행을 대표하여 쿠바드와 메르레인에게 호위를 해달라고 교섭한다. 당시 예순이 넘은 것으로 보이나 머리는 희어도 피부는 윤기가 있으며 자세도 올곧고 살집도 좋다. 기력도 지혜도 충분하며 자신의 정한함을 감추려고 하지 않는다. 그 후에는 등장하지 않지만 부디 건재했으면 하는 할머니.

※작가의 한마디: 조반나

중요한 장면에서 한마디 하고 사라진 후 그 외에는 아무런 기록도 남지 않는 그런 사람이 역사 속에는 실제로 얼마든지 있습니다. 그런 사람을 한번 내보내고 싶었습니다.

짐사【5권 1장】

325년 현재 파르스군에 빼놓을 수 없는, 용감하고도 기민한 장수. 투란인. 약간 몸집이 작고 동안. 검술에도 뛰어나거니와 바람총에 관해서는 달인. 과거 투란의 장군이었을 때 페샤와르 성 전투에서 나르사스의 책모에 이용당하는 바람에 배신자로 투란군에게 쫓겼다. 아르슬란에게 도움을 받아 귀순 권유를 받고 고민하지만,

이윽고 충성을 맹세한다. 그 후에는 자신이 살아갈 곳을 확보하기 위해 거듭 공적을 쌓는다. 훗날 '사오슈얀트 아르슬란의 십육익장' 중 한 명으로 꼽힌다.

※작가의 한마디: 짐사

이 사람은 10권에서는 출연이 없었으니. 뭐, 앞날을 기대해야겠지요. 출연했을 때 대사도 생각해 놓겠습니다.

카드피세스【9권 1장】

튀르크의 귀족. 국왕 카르하나의 사촌 동생. 막 서른이 넘은 나이이며 키가 크고 약간 갈색이 도는 눈썹과 콧수염을 길렀다. 튀르크 귀족 사회 최고의 멋쟁이. 국왕에게 주눅 드는 일이 없기 때문에 위험시되고 있기도 하다. 파르스군에 대패한 튀르크의 패잔병들을 재편하여 지휘하라는 왕명에 따라 신두라로 향하지만 합류하기도 전에 파르스군에게 발견되어 포로가 된다. 나르사스가 고안한 '비열하고 더러운 고문'에 굴복하여 모든 것을 고백한 후에는 카르하나를 치기 위해 적극적으로 파르스와 신두라에게 협조한다. 전쟁이 끝난 후에는 라젠드라에게 신병이 맡겨져, '더운 곳은 질색이므로 될 수 있는 대로 시원한 곳에 유폐해 달라(마치 모 작가처럼)' 는 바람이 받아들여져 닐기리 산성에 유폐되어 있다.

※작가의 한마디: 카드피세스

이 사람은 그야말로 '이제부터 시작인 사람' 이죠. 한심하기만 한 캐릭터였다면 일부러 내보낼 의미가 없으니까요. 소악당은 소악당 나름대로, 소책사小策士는 소책사 나름대로 애써주었으면 하는 바람입니다(웃음). 그 '비열하고 더러운 고문' 만 없었더라면 꽤 비극적인 인물로 통했을지도 모르는데 말이죠.

카라만데스【8권 1장】

미스르의 장군. 머리카락도 수염도 회색이 도는 초로의 무장. 선왕 이후 수많은 공적을 세웠으나 디즐레 강 전투에서 다륜과 맞붙어 사망했다.

카르하나【8권 3장】

튀르크 국왕. 325년 현재 50대 중반. 매우 큰 키, 검푸르고 깡마른 얼굴, 뾰족한 콧날과 가느다란 두 눈. 시커먼 턱수염. 일개 무장에서 재상, 부왕을 거쳐 즉위했다. 치세는 안정적이다. 재상을 두지 않고 내정, 외교, 군사, 재판에서 궁정 내의 사무에 이르기까지 모든 국정을 스스로 총괄하는, 유능하지만 의심 많은 독재자. 또한 수많은 왕비를 동등하게 대해, 후계자를 정하지 않고, 본심을 아무에게도 밝히지 않는다. 뭇 나라에 역량을 과시하여 대륙에서의 우위를 확립코자 하는 야망을 위해 히르메스를 이용하고 있다. 그러나 산악지대에 있는 왕성에 틀어박힌 채 스스로 병사를 지휘하는 일이 많아 파르스 진영에서는 '오소리' 라 부른다.

카를룩【5권 1장】

투르크 군의 유력 장수 중 하나. 외교와 국가 전략에 뛰어나며 견문이 넓은 귀중한 인재. 페샤와르에서 대패한 후 루시타니아군과의 동맹을 제안한다. 일테리시를 새 국왕으로 추대하여 임했던 전투에서 쿠바드와 싸워 목숨을 잃었다.

카리칼라 2세【3권 1장】

320년 당시 신두라 국왕. 쉰두 살. 가데비, 라젠드라 두 왕자의 아버지. 왕비를 잃은 후 여색을 지나치게 탐닉하면서 수상쩍은 정력제의 부작용으로 쓰러진다. 차기 왕위를 둘러싼 두 왕자의 싸움이 가져온 혼란의 와중에 잠시 혼수상태에서 깨어나, 아디칼라냐로 왕위를 결정할 것을 정한다. 라젠드라의 승리를 지켜보고 가데비의 반항에 마음의 상처를 입으며 죽어간다.

카셈【10권 1장】

엑바타나에서 맥주 양조장을 경영한다. 아들에게 대를 물려주었다고 한다.

카스텔로【8권 3장】

마르얌의 귀족. 트라이칼라의 성주 알리칸테 백작의 아내의 조카. 알리칸테의 상속인이었으나, 알리칸테는 정부에게서 사내아이를 얻은 순간 그의 상속권을 박탈했다. 카스텔로는 이에 앙심을 품고 성내에 감금되었던 기스카르를 구출해 백부와 보댕에게 반기를 들었다.

카스텔리오【4권 3장】

루시타니아의 기사. 321년 5월 차숨 성 공방전에서, 은혜를 입었던 장군 클레망스의 원수를 갚고자 분전하지만 파랑기스의 활에 맞고 포로가 된다. 목숨을 건지고, 아군의 패배를 엑바타나에 전달하는 사자가 되었다.

카이 호스로【1권 1장】

파르스의 초대 국왕. 사왕 자하크의 공포 지배를 타도한, 파르스 사상 비할 데 없는 영웅이며 그의 이름에는 항상 '영웅왕' 이라는 칭호가 붙는다. 열여덟 살에 사왕 자하크를 타도할 군을 일으켜 나이 스물다섯에 전 파르스를 통일하고 옥좌에 오른다. 왕으로서도 현명하고 공정하였으나 아들에게 저버림을 당하는 등 마흔다섯 살에 서거하기까지 후생은 반드시 행복하지만은 않았다. 유체는 유언에 따라 갑주를 두른 모습 그대로 데마반트 산에 묻혀 있다. 카이 호스로 무훈시초武勳詩抄는 너무나도 유명하다.

카이반(토성土星)【9권 4장】

325년 현재 파르스의 무장 이스판이 기르고 있는 두 마리 새끼 늑대 중 한 마리. 오른쪽 눈언저리에 고리 같은 엷은 색의 털이 있다.

카톨리코스[1]【파르스 왕가 가계도】

파르스 제10대 샤오. 8대 샤오 오스로에스 3세의 차남. 9대 샤오 안드라고라스 1세의 동생. 후계자 아르가슈를 잃은 충격을 견디며 여든까지 살았다.

카톨리코스[2]【파르스 왕가 가계도】

파르스 제9대 샤오 안드라고라스 1세의 손자, 볼로가세스의 아들. 헤카톤과 11대 샤오 오스로에스 4세의 형. 바르주크의 아버지.

칼란【1권 1장】

파르스의 열두 마르즈반 중 한 명. 잔데의 아버지. 용맹한 장수였으며 원래는 무뚝뚝하지만 충성심이 강하고, 부하에게도 항상 관대하며 공정한 인물. '찬탈자' 안드라고라스를 몰아내고 파르스에 '정통한 국왕' 히르메스를 앉히기 위해 아트로파테네에서 파르스군을 배신하고 루시타니아군과 내통한다. 아르슬란을 끌어내기 위해 일부러 비열한 작전을 취하지만 나르사스의 책략에 빠져 유인당한 끝에 다륜과 싸워 목숨을 잃는다.

케르마인【10권 5장】

파르스 옥서스 지방 영주 문지르의 형. 나마르드의 아버지. 동생 문지르에게 존재를 말소당하고 영주의 자리를 빼앗겨 지하감옥에 유폐된 채 20년을 보낸다. 탈출하기 위해 사왕 자하크에게 복종한 것으로 보인다. 탈출한 후에는 복수를 위해 동생의 두 눈을 도려내고 지하에 감금하여 학대를 계속하고 있었다.

케유마르스【1권 서장】

과거 파르스의 남동쪽 국경에 인접했으며 파르스와 맹방 관계였던 바다흐샨 공국(훗날 파르스에 병합)의 영주. 재상의 약혼녀였던 타흐미네를 빼앗아 공비로 삼았다. 303년, 파르스 국왕 고타르제스 2세가 죽은 것을 기회 삼아 파르스와의 맹약을 파기하고 신두라와 수호를 맺은 것이 파르스 에란 안드라고라스와 10만 기병의 침공을 초래한다. 수도 헤르만도스가 함락되었을 때 성내의 탑에서 몸을 던져 자살.

코리엔테【8권 3장】

마르얌의 귀족. 백작. 보댕 파에 속했으나 자카리아 평원 전투에서 기스카르를 가짜라고 공언한 보댕의 거짓말이 탄로나자 기스카르의 편을 들기로 결심한다. 그 결단이 기스카르군의 승리를 결정짓는 계기가 되었다.

코자【6권 4장】

항구도시 길란을 대표하는 호상 중 하나. 도시를 해적

들에게서 구한 아르슬란에게 충성을 맹세하고 자금을 원조한다.

쿠르프【1권 1장】

파르스군의 열두 마르즈반 중 하나. 제1차 아크로파테네 회전에서 행방불명되었으며 전사가 확실시되고 있다.

쿠바드【1권 1장】

파르스력 325년 현재 파르스군 최연장자 마르즈반. 페샤와르 성주를 지냈던 용감한 전사. 어쨌든 강하다. 근골 우락부락한 장신, 거무스름하고 긴 머리카락, 정한하고 뚜렷한 이목구비. 왼쪽 눈은 한일자로 감겨 있다. 기질은 호쾌하고 변덕스러우며 때로는 거칠다. 술과 여자를 매우 사랑한다. 인생신조는 '성공하면 내 공적, 실패하면 운명 탓'. 매사에 허풍을 떨어대는 버릇이 있어 '허풍선이 쿠바드'라는 별명이 있는데 그것마저 자랑으로 삼는다. 제1차 아트로파테네 회전에서 장병을 내팽개친 안드라고라스에게 실망해 홀로 여행을 떠나지만 어쩌다 보니 히르메스에게 가세하기도 하고 이리나 공주를 구하기도 한다. 이윽고 아르슬란군에 합류하여 그의 진영에 가담한다. 장군들 중에서는 최연장자였지만 책임은 키슈바드에게 떠넘기고 유유히 지낸다. 훗날 '사오슈얀트 아르슬란의 십육익장' 중 한 명이 된다.

※작가의 한마디: 쿠바드

자신만의 세계를 확립해버린 사람이죠. 나라가 사라진다 해도 역시 자기 페이스로 살아갈 테고. 그래도 마르즈반을 무난하게 지낼 정도니 어느 정도 되는 집단을 통솔하는 도량은 나름 갖추고 있습니다. 조그만 나라의 왕 정도는 해도 될 만한 캐릭터로 만들고 싶었습니다. 그러니 마르즈반이 되기 전까지는 어떤 일을 하면서 살아왔는지, 그런 얘기를 하는 것부터가 사실은 꽤 의미심장한 캐릭터 메이킹을 하고 있는 것이지만요.

쿠샤흐르[1]【10권 3장】

미스르에서 히르메스가 사용한 가명. 영웅왕 카이 호스로의 아들 쿠샤흐르의 이름에서 따왔다.

쿠샤흐르[2]【파르스 왕가 가계도】

파르스의 초대 샤오 카이 호스로의 장남. 제2대 샤오 오스로에스 1세의 형. 왕위를 바라는 동생에게 살해당했다. 자신은 왕위에 오르지 못했으나 자손 중 네 명의 샤오를 배출했다.

쿠오레인【10권 3장】

미스르의 수도 아크미에 사는 파르스인. 후제스탄 지방의 샤흐르다란이었으나 아르슬란의 노예해방정책 때문에 재산을 잃고 미스르로 망명했다. 아크미에 있는 반 아르슬란 파벌 파르스인들의 두목. 쿠샤흐르, 즉 히르메스의 지배를 거부했기 때문에 히르메스의 검에 양단당한다. 옥서스 지방 영주의 조카 나마르드와는 몰래 연락을 주고받았다.

쿠탈미시【9권 2장】

히르메스를 따르며 가면군단의 간부를 지내고 있던 투란인. 초로에 달한 역전의 용사로 병사들의 신망도 두텁다. 코트카프라 성에서 히르메스와 다륜의 1대 1 대결에 끼어들었으나 여유를 잃은 히르메스의 자존심에 상처를 입혀 분노를 사 참살당하고 만다. 훗날 히르메스의 삶에 영향을 미치는 죽음이었지만, 부조리하기로 치면 본 작품에서도 최고일 것이다. 안됐다.

쿤타바【3권 4장】

신두라의 장군. 라젠드라의 부하. 대역죄를 저지르고 숨어 있던 가데비 왕자의 소재지를 왕자의 아내 살리마의 밀고로 알게 된다. 내분이 종결된 후 라젠드라의 계략에 따라 3천 기를 이끌고 파르스군과 동행하여 귀국하는 파르스군을 혼란에 빠뜨리려 하지만 사전에 계략이 간파되어 목숨을 잃는다.

쿨라【10권 1장】

파르스 기사 바니팔의 차녀. 투스의 아내 중 하나. 325년 6월 현재 열일곱 살. 야무지며 예리할 정도의 총명함이 겉으로 드러나 만사에 적극적이고 행동력이 넘친다.

나르사스보다는 훨씬 그림을 잘 그린다……고 한다.

쿨로툰가【3권 1장】

신두라의 국부. 초대 국왕으로 즉위했을 때 조부의 탄생 연도에 맞춰 건국으로부터 70년 정도 거슬러 올라가 파르스력보다 1년 일찍 신두라력을 제정했다. 치졸하기는.

크샤에타【1권 1장】

제1차 아트로파테네 회전 당시 파르스군의 열두 마르즈반 중 하나. 이 전투에서 행방불명되었으나 전사한 것이 확실시되고 있다.

클레망스【4권 3장】

루시타니아의 장군. 차슴 성주. 마르얌 정복에서도 활약한 붉은 수염의 거한. 성실한 이알다바오트 교도이며 같은 교도들에게는 친절하고 공정하고 싹싹해 '정의로운 클레망스' 라 불리지만 이교도에게는 한없이 잔인하다. '좋은 이교도란 죽은 이교도 뿐' 이라고 공언한다. 321년 5월, 차슴 성 전투에서 선전하여 한때는 이스판과 자라반트를 퇴각하게 만들었으나 나르사스의 함정에 빠져 다륜에게 목숨을 잃었다.

키슈바드【1권 1장】

파르스의 마르즈반. 두 손에 두 자루의 검을 들고 자유로이 다루어 '타히르(쌍검장군)' 라는 별명을 가진 용장. 325년 현재 샤오 아르슬란 밑에서 파르스군의 에란을 지내고 있다. 균형 잡힌 장신, 단정한 얼굴, 부드러운 두 눈, 잘 울려 퍼지는 목소리. 칠흑의 멋진 수염을 모양 좋게 다듬어놓고 있다. 과거 오랫동안 서방국경에서 용병술과 검술 실력을 과시했으며 미스르군에 용명을 떨쳐 '타히르 키슈바드가 있는 한 날개가 달렸어도 디즐레 강을 건널 수 없다' 고 칭송받았다. 파르스 건국 당시부터 내려져온 무문의 명가 출신이며 왕가에 대한 충성심이 깊어 한때는 안드라고라스와 아르슬란 부자의 갈등 사이에서 고민했다. 훗날 '사오슈얀트 아르슬란의 십육익장' 중 한 명으로 꼽힌다. '아즈라일' 과 '수루시' 의 주인. 아내와 아들 하나가 있다.

※작가의 한마디: 키슈바드

역시 모범적인 캐릭터가 한 명쯤 있어야겠지 생각했죠(웃음). 아르슬란이 '착한 아이' 라면 키슈바드는 '착한 어른' 으로. 본인만 거론하자면 꼭 재미있는 캐릭터는 아니에요. 그런데 다른 사람이 이렇게 저렇게 주책을 떠니(웃음) 모범생이 그야말로 눈에 뜨이게 되는 것입니다.

쌍검술에 매에, 뭘 해도 '그림이 나오는 캐릭터' 라는 말을 듣는 건 기쁘네요. 물론 저도 영상 세대의 주구다 보니. 역시 '그림이 나오지 않으면 이야기가 안 나오는' 면이 있습니다.

킨나무스【파르스 왕가 가계도】

파르스 제5대 샤오. 4대 샤오 티그라네스의 아들. 6대 샤오 고타르제스 1세의 아버지. 카이 호스로의 증손자. 절세미녀 엘브루를 왕비로 삼았다.

◈ E ◈

타라【3권 2장】

신두라 구자라트 성새의 부성사. 가데비군의 장수로 파르스군과 대치하지만 나르사스의 책략에 빠져 야습에 실패한다. 파랑기스에게 목숨을 잃었다.

타르칸【5권 1장】

투란군 최고의 맹장. 321년 6월 당시 서른다섯 살. 얼굴 아래쪽 절반이 빳빳한 검붉은색 털로 덮인 거한. 가슴에도 팔에도 근육이 우락부락하며 목소리도 무겁고 크다. 페샤와르에서 파르스군과 싸우나 나르사스의 연출에 아군끼리 서로를 공격하고, 여기에 야습이 이어져 궁지에 몰린 국왕 토크타미시를 구하기 위해 결사적으로 싸웠다. 다륜과의 치열한 대결 끝에 전사했다.

타흐미네【1권 서장】

파르스 제18대 샤오 안드라고라스 3세의 왕비. 320년 당시 서른여섯 살. 검은 머리, 검은 눈, 상아색 피부. '세리카의 백자에 새겨진 것처럼' 비견할 데 없는 미모. 섬섬옥수. 원래는 옛 바다흐샨 공국의 공비였으며, 그 이전에는 공국 재상의 약혼자였던 과거를 지녔다. 남편이 자결한 후 정복자 안드라고라스가 아내로 삼고자 엑바타나로 데리고 돌아왔다. 그녀의 모습을 언뜻 본 형왕 오스로에스 5세가 자신의 아내로 삼으려 하여 형제의 대립을 낳았다. 루시타니아 국왕 이노켄티스 7세의 마음을 사로잡고 왕제 기스카르마저 매료시킨 그 미모는 마성이라고까지 일컬어진다. 안드라고라스와의 사이에서 여자아이를 낳았으나 출산 때문에 몸이 약해져 다시 자식을 낳을 수 없게 되자, 왕비의 입장을 지키려 하는 안드라고라스의 망집에 의해 아이 바꿔치기가 이루어져 그렇게 자신의 자식과 헤어진다. 안드라고라스가 죽은 후에는 출신지인 바다흐샨의 저택에 칩거하며 생이별한 딸과 재회할 날만을 기다린다.

※작가의 한마디: 타흐미네

불쌍한 사람이죠. 남자들의 이기심에 휘둘리기만 하고, 자기 아이는 어디엔가 버려지고, 듣도 보도 못한 애를 떠맡고. 그 아이가 또 착하고 고분고분한 애라 더더욱 속이 상했을지도 모릅니다. 그러니 그 아이에게 분풀이를 하는 것도 무리는 아니죠(웃음).

태상황【동방순력東方巡歷】

317년 현재 세리카의 태상황(선제先帝). 51대 황제로 즉위했던 40년간을 정력적으로 일하고 위대한 통치자로 군림했다. 아들에게 제위를 양보했지만 국정에 관여하는 일이 없는 여유 시간을 주체하지 못한다. 란푸(藍妃)라는 정부에게서 사내아이가 태어난 후에는 그녀의 바람을 받아들여 이 아이를 제위에 올리기 위해 스스로 복위하고자 한다.

테오스【1권 2장】

나르사스의 죽은 아버지. 파르스에 백 명 정도밖에 없는 '샤흐르다란' 중 한 명이며 다이람 영주. 안드라고라스 3세의 옛 친구. 공처가여서 본부인이 죽기 전까지는 첩의 자식인 나르사스를 저택에 들여놓지 못했다. 아들은 나르사스 하나뿐이며 그 외에는 열 명의 딸이 있다. 투란, 신두라, 튀르크 3국동맹이 파르스로 쳐들어왔을 때 사병을 이끌고 왕에게 달려가려 했으나 출진 직전에 계단에서 떨어져 급사했다.

※작가의 한마디: 테오스

……전체적으로 보면 참 편하게 죽은 경우가 아닐지.

토크타미시【5권 1장】

제14대 투란 국왕. 페샤와르 습격 당시 마흔. 중간보다는 약간 큰 키. 어깨폭이 넓고 가슴팍이 두꺼우며, 가느다란 두 눈에서는 바늘 같은 안광을 뿜어낸다. 20년 가까운 세월 동안 궁정투쟁을 거쳐 수많은 정적을 배제하고 왕좌를 얻었다. 약한 권력기반을 타국 침공과 약탈로 확립하고자 했으나 페샤와르에서 나르사스의 책략에 빠져 참패해 권위는 땅에 떨어지고 조카인 일테리시에게 시해당한다.

투스【4권 1장】

파르스의 장수. 아르슬란 진영에 빼놓을 수 없는 인재 중 하나. 남쪽 지방 자라의 수비대장을 맡았으나 321년 4월, 아르슬란이 페샤와르에서 띄운 격문에 호응하여 참가했다. 당시 20대 후반. 은화 같은 눈동자와 지극히 전사답게 단련한 육체를 가진 과묵한 사나이. 나바타이국에 전해지는 철쇄술의 고수로, 항상 왼쪽 어깨에 감아 걸쳐놓은 쇠사슬은 난전에서는 강력한 무기가 된다. 화려함은 없으나 주어진 임무를 무탈히, 묵묵히 수행하는 실력은 높은 평가를 받는다. 사생활에서는 세 자매를 모두 아내로 삼은 의외의 일면을 보인다. 훗날 '사오슈얀트 아르슬란의 십육익장' 중 한 명으로 꼽힌다.

※작가의 한마디: 투스

구체적으로 어떤 형태가 될지 처음부터 생각했던 건 아니었지만, 아무튼 성실한 캐릭터로 해 두고 적당한 데서 뒤집어주려고 생각했습니다(웃음). 이번 권에서 성공했을지 어떨지…….

작가의 한마디: 못다한 이야기 1

○어떤 결혼비화

제10권에서 투스의 그런 이야기를 썼던 것은 말하자면 반전 캐릭터를 만들어보고 싶었기 때문이었습니다. 다만 이것이 성공했는지 어떤지는 또 완전히 다른 문제여서요. 여성 독자 분들이 어떻게 생각할지 좀 파악하기 힘들었습니다.

설화에서는 충분히 있을 수 있는 이야기죠. 그런 민화 내지는 설화 풍의 인상으로 쓸 수 있을지 하는 면에서는 저 자신에게도 하나의 시도였습니다. 하지만 생각해 보면 이건 참 터무니없는 이야기죠. 현대에 가져와서 생각해보면 이런 남자는 몽둥이찜질을 당해도 쌉니다(웃음). 그런데도 대뜸…… 으음. 잘 썼으려나. 괜찮았다고는 생각하지만요.

다만 작가가 고생하는 건 당연한 이야기고 그 고생이 통할지 어떨지는 그야말로 고생스러운 면이라. 심지어 '고생했다.'는 말로 독자 분들께 정당화해버려서는 안 되죠. 독자에게 어떻게 받아들여지더라도 그건 이미 각오해야 하는 거지만요. 원고를 읽어주신 여성 스태프 분들에게서는 생각한 것과는 미묘하게 다른 방향으로 좋은 반응을 얻은 것 같아서…… 뭐 이 정도면 되지 않으려나, 하는 기분도 들었지만요(웃음).

티그라네스【파르스 왕가 가계도】

파르스 제4대 샤오. 영웅왕 카이 호스로의 장남 쿠샤흐르의 아들.

티그라네스【파르스 왕가 가계도】

파르스 제7대 샤오 아르타바스의 아들.

◈ ㅍ ◈

파라자타【5권 1장】

321년 6월 초, 페샤와르에 투란군이 습격한다는 소식을 행군 중인 아르슬란에게 가져다준 사자. 젊고 강건하며 매우 올곧은 사내. 말을 급히 몰다가 도중에 애마가 쓰러진 후에는 우연히 조우한 쿠바드의 말을 빌려 50파르상(약 250킬로미터) 거리를 이틀 만에 주파했다.

파랑기스【1권 4장】

파르스의 여장군. 본래 신분은 후제스탄 지방의 미스라 신전에 있던 카히나(여신관). 항상 아르슬란의 신변을 지키며, 적을 물리치고 조언을 한다. 아르슬란이 즉위한 후에는 브라흐만(궁정고문관)과 아무르(파견감찰관)라는 두 관직을 맡게 된다. '어둠을 녹여 물들인 것 같은 칠흑색 머리'와 '초여름의 만록을 비춘 것처럼 짙고 선명한 녹색 눈동자', '사이프러스처럼 늘씬하고 우아한 자태', '세리카의 도자기처럼 새하얗고 고운 얼굴', '음악적일 정도로 아름다운 목소리'를 가진, 자타가 공인하는 '절세미녀'. 입을 다물고 있으면 여신의 품격마저 드러난다. 검술 실력은 물론이고 궁술과 기마술은 신의 영역에 이르렀다. 날개라도 돋은 것처럼 몸이 가볍다. 손가락 끝에 낀 수정 피리로 진(정령)과 이야기를 나누어 목소리를 들을 수 있다. 기이브를 비롯한 수많은 구혼자를 대수롭지 않게 뿌리치고 있으나 연애에 관해서는 괴로운 과거를 가지고 있다. 술이 엄청나게 세다.

※작가의 한마디: 파랑기스

제1권에서 스물두 살 정도로 했으니까, 제10권이면 스물여섯 정도겠군요. *료코보다도 연하죠. 좀 믿겨지지 않지만(웃음). 미인이고 강하고 허점은 없지만 말싸움을 걸면 상당한 수준으로 맞붙을 수 있는 그런 타입입니다.

과거가 있었다곤 하지만 '시큼한 것도 달콤한 것도 씹어 삼켰다'는 식으로 써놓으면 좀 재미가 없죠. 다 깨달

*료코 : 저자의 다른 작품 '야쿠시지 료코의 괴기사건부'의 주인공 야쿠시지 료코를 말함. 27세.

아버리면 성녀가 될 테고, 엔터테인먼트에는 별로 적합하지 않고. 깨달았다기보다는 떨쳐냈다고 해야 하려나요. 그런 면은 딱 잘라서 써놓으면 멋이 없어지니 독자 여러분께서 알아서 느껴주시는 편이 좋을 것 같지만요.

파르둘【파르스 왕가 가계도】

파르스 제4대 샤오 티그라네스의 아들이며 제5대 샤오 킨나무스의 동생. 카이 호스로의 증손자.

파르바니【9권 2장】

신두라의 장군. 코트카프라 성의 성사. 325년 3월, 결사대로 변한 튀르크 병사들에게 성이 함락당해 전사.

파리자드【9권 3장】

파르스의 젊은 여인. 키가 크며 터질 듯 풍만한 몸을 가졌다. 작게 수없이 소용돌이치며 어깨 아래까지 늘어지는 흑발, 엷은 갈색 피부. 약간 커다란 코와 입. 굳건한 생명력을 가진 아름다움. 노래와 춤으로 생활하며 여러 나라를 돌아다니다 잔데와 만나 함께 여행을 한다. 잔데가 마시니사에게 살해당했을 때 간신히 도망쳐 루시타니아 기사 올라베리아의 도움을 받아 살아났다. 거의 부부처럼 살던 잔데의 죽음을 애도하고, 몰래 그의 복수를 맹세하며 올라베리아와 함께 마르얌으로 건너간다. 왼팔에 찬 은팔찌에 사연이 있는 듯.

※작가의 한마디: 파리자드

이 사람도 앞으로가 기대되죠. 잔데의 죽음을 두고도 '살해당한 채 그대로 놔두면 가엾다' 고 생각하는, 사나이다운……이 아니라 여자다운(?) 의기를 가졌습니다.

파트나【10권 1장】

파르스의 기사 바니팔의 장녀. 투스의 아내 중 하나. 325년 6월 현재 열여덟 살. 차분하고 부드럽지만 심지가 강한 인상.

파티아스【4권 1장】

321년, 페샤와르 성새의 왕태자부에서 사트라이프(중서령) 나르사스에게 회계감으로 임명된 사람. 당시 나이는 서른 정도. 전에는 큰 대상의 부대장을 맡았다. 과거 남쪽의 항구도시 자라의 관공서에서 회계담당 서기관을 지냈으나 그때 작성한 서류의 정확함이 당시 디비르였던 나르사스의 눈에 들었다. 계산에 탁월하며 문서에도 강하고, 지방이나 상업의 실상에도 밝은 능리能吏.

팔루【9권 1장】

신두라 참바 성의 성사를 맡은 노인. 325년 1월, 가면군단에게 습격을 당한 전원 지방의 보고를 받는다. 성문을 닫을 타이밍을 놓쳐, 성내에 난입한 가면군단에 의해 성벽에서 떨어져 사망한다.

페델라우스【2권 2장】

루시타니아군의 장군이며 기사단장. 백작 작위를 가졌으며 이알다바오트 교의 주교이기도 한 루시타니아의 유력자. 잔인하고 어리석은 사내. 점령 중인 엑바타나 시내를 돌아다니던 중 땅속에서 솟아나온 검에 아랫배를 찔려 사망.

페로즈【파르스 왕가 가계도】

파르스 제3대 샤오 오스로에스의 아들. 카이 호스로의 증손자.

펠라기우스【6권 1장】

321년 6월 현재 파르스 남쪽의 항구도시 길란의 총독. 과거 디비르(궁정서기관)였던 나르사스와 함께 공부하던 시기도 있었다. 길란 총독이 된 후로는 지위를 이용하여 사복을 챙겼다. 루시타니아군이 침략한 혼란을 이용해 은닉을 꾀했던 1년치 조세를 포함하여 40만 디나르에 이르는 부정축재가 있었으나 아르슬란에게 몰수당하고 총독에서 해임, 추방되었다.

포라【7권 3장】

루시타니아의 기사. 곤자가 남작의 동생. 제2차 아트로파테네 회전 때 다륜과 싸워 패배했다.

푸라드【2권 1장】

암회색 옷의 노인이 거느린 제자, 일곱 마도사 중 하

나. 스승과 함께 사왕 자하크 재림을 꾀한다. 스승의 명령을 받들어 구르간과 함께 루시타니아 왕제 기스카르를 납치하려 한다. 혼자 공을 다투어 기스카르 앞에서 구울이람츠(조공사술)를 부렸다. 기스카르에게 암습을 가했던 이스판에게도 같은 술법을 쓰려 했으나 그가 던진 검에 목덜미를 꿰뚫려 사망.

풀라케신【3권 2장】

신두라 구자라트 성새의 부성사. 거구. 가도를 따라 진격하는 파르스군과 대치하지만 다륜에게 쓰러진다.

프라다라타【3권 2장】

신두라 가데비 왕자군의 부장部將. 커다란 언월도를 마음대로 휘두르는 굴강한 전사. 라젠드라와 아르슬란의 연합군이 카베리 강기슭을 다 건넜을 때 기병 1만 5천을 이끌고 돌입해 맹용을 떨치지만 다륜에게 쓰러진다.

프라야그【8권 1장】

튀르크의 장군. 튀르크 남부 국경 자라프리크 고개에서 벌어진 파르스군과의 전투 때 싱그 장군 아래에서 지휘를 맡았다. 패전 후 신두라에서 코트카프라 성을 점거하지만 파르스군의 책략에 빠져 짐사에게 쓰러진다.

프라자【8권 3장】

신두라의 장군. 324년 11월 현재 왕궁경비대장. 미스르 국왕이 보낸 사자를 라젠드라에게 안내했다.

프라테스【파르스 왕가 가계도】

제13대 파르스 국왕 야즈데게르드 1세의 아들.

프레지안【7권 1장】

루시타니아군의 지휘관. 백작. 사하르드 평원 회전에서 우익에 보낼 증원군 2만을 지휘하나 아르슬란 부대가 돌아오면서 역습을 당해 다륜의 장창에 쓰러졌다. 용감하지만 매사를 그다지 깊이 생각하지 않는 성격.

필다스【8권 2장】

324년 현재 파르스의 니자르 하라후르(왕묘관리관). 직무에 충실하며 자신의 지위를 명예로 여기는 쉰 살의 사내. 안드라고라스의 능묘를 파헤치는 이형의 그림자를 발견했다.

하이르【1권 1장】

파르스군의 열두 마르즈반 중 하나. 아트로파테네 회전에서 전사해 목이 효수되었다.

할림【10권 1장】

엑바타나 시내의 공중욕탕에서 일하는 텔락(욕탕 도우미). 열세 살부터 20년의 경력을 가진 실력자. 욕탕에서 가브르 네리샤들의 밀담을 엿듣는 바람에 쫓겨, 시장에서 만난 아르슬란에게 성역비호를 청했다.

헤이르타슈【2권 3장】

사막과 바위산을 세력범위로 삼는 날랜 유목민 조트족의 족장. 알프리드와 메르레인의 아버지. 320년 당시 마흔 정도로 보인다. 장한이며 검술 실력도 상당했으나 단순한 사내. 여색을 밝히고 술을 좋아했다고 한다. 영역에 침입한 히르메스를 습격했으나 단칼에 쓰러지고 만다.

헤카톤【파르스 왕가 가계도】

파르스 제9대 샤오 안드라고라스 1세의 손자이며 볼로가세스의 아들. 제11대 샤오 오스로에스 4세의 형이며 카톨리코스의 동생.

호람【6권 4장】

항구도시 길란을 대표하는 호상 중 하나. 도시를 해적들에게서 구한 아르슬란에게 충성을 맹세하고 자금을 원조한다.

호사인 3세【8권 1장】

325년 6월 현재 미스르 국왕. 서른아홉 살. 중간키에 살짝 비만 체형이며 머리는 벗겨지고 두 귀가 매우 크다. 통치자의 역량은 수준 이상. 원래 외정에 흥미가 없고 행정, 경제, 교육 등 내정을 충실히 하는 데 힘을 쏟았으나 파르스가 해상 교역을 활발히 전개하고 노예제도를 폐지해 경제상의 권익이 저해되면서 파르스에 군사행동을 일으킨다. 오른쪽 뺨에 상처가 있는 파르스인 사내에게 황금가면을 주어 히르메스로 내세우고 파르스 침공의 구실을 만든다.

화관장군花冠將軍【동방순력東方巡歷】→싱량(星凉) 공주

황제皇帝【동방순력東方巡歷】

317년 5월 현재 세리카의 황제. 싱량 공주의 아버지. 아버지인 선제의 의향에 따라 제위를 물려받았으나 황제로서 인망과 능력이 있는지 자신감을 갖지 못한다. 권위를 지키려 한 나머지 회의적, 고압적으로 변해 형제를 하나하나 죽음으로 몰아넣었다. 이것이 황족들의 공포를 불러일으키고 인심이 떠나는 계기가 되었다.

후다이르【2권 1장】

파르스 샤흐르다란 중 하나로 320년 11월 현재 니무르드 산에 있는 카샨 성새의 성주. 약간 살찐 몸. 3천 기병과 3만 5천 보병을 가졌다. 자신의 굴람들에게는 다정한 주인. 조력을 청해 성새로 찾아온 아르슬란을 이용하여 세력을 확대하고자 한다. 아르슬란의 심복들을 배제하려다 실패해 자포자기하여 아르슬란의 신병을 구속하려다 다륜에게 목숨을 잃는다.

후스라브【1권 3장】

320년 당시 파르스의 재상. 안드라고라스의 뜻을 미

리 헤아리고 그저 여기에 따르기만 했던 존재. 엑바타나 함락 당시 기이브를 미끼로 이용하여 타흐미네를 피신시키려 했다. 자신은 평민으로 변장하여 왕궁에서 도망쳤으나 루시타니아군에 발각되어 말발굽에 짓밟혀 사망.

후안 카리에로【7권 1장】

루시타니아군 지휘관. 남작. 몽페라토 장군의 심복. 제2차 아트로파테네 회전 때 3천 기병과 7천 보병을 이끌었다.

흑인 사내【2권 4장】

파르스의 마르즈반 키슈바드의 충실한 부하. 잔지(흑인 노예)였으나 키슈바드의 눈에 들어 아자트가 되었다. 320년 당시 엑바타나에 잠입하여 척후 노릇을 했다. 수루시에게 편지를 맡기려던 찰나 히르메스에게 발견당해 살해당한다.

히르메스【1권 1장】

파르스 제17대 샤오 오스로에스 5세의 아들. 가계도상으로는 아르슬란의 사촌형. 그러나 친아버지는 고타르제스 2세라고도 한다. 320년 당시 스물일곱 살. 균형잡힌 멋진 장신. 얼굴은 하얗고 수려한 왼쪽 절반과 검붉게 짓무른 처참한 오른쪽 절반이 함께 있다. 무예, 학문 모두 뛰어나며 검술 실력은 다륜과도 맞먹을 정도.

부왕 오스로에스가 죽은 후 왕궁에서 일어난 의문의 화재로 불타 죽었다고 생각했지만 실제로는 얼굴에 화상을 입으면서도 탈출했다. 모든 흉사는 안드라고라스의 음모라고 굳게 믿어 의심치 않으며, 여러 나라를 유랑한 끝에 안드라고라스에 대한 복수심을 키워 '정통 왕위' 회복을 굳게 다짐한다. 은가면으로 얼굴과 정체를 감추고 기스카르와 손을 잡은 후 루시타니아군의 파르스 침공을 이끌었다. 기회를 보아 엑바타나에 입성해 샤오를 자칭하지만 시민의 생활을 지탱해줄 힘이 없었으며 보검 루크나바드를 가진 아르슬란에게 패한다. 파르스를 떠난 후 재기를 꾀해 몸을 맡긴 튀르크에서 아내 이리나를 병으로 잃는다. 이윽고 튀르크 국왕 카르하나의 요구에 응해 다시 은가면을 쓰고 투란인으로 이루어진 가면군단을 이끈다. 그러나 신두라로 침공하던 중 군감과 병사들 사이의 갈등에서 파국이 발생해 파르스군에게 참패한다. 얼마 안 되는 부하들과 함께 무장상선을 탈취해 건너간 미스르에서 잔데의 죽음과 자신의 가짜에 대한 소문을 듣는다. 미스르를 차지하기로 결심하고 정체를 감춘 채 황금가면 밑에 들어가기로 한다. 그야말로 비극의 주인공이며 맷집도 보통이 아니다.

※작가의 한마디: 히르메스

강하고 미남에 머리도 좋고……라고 하면 보통은 주인

공인데…… 작가가 작가다 보니 생긴 불운이죠.

그건 그렇다 쳐도 히르메스에게는 나르사스도 철저히 심술쟁이가 되네요. 그야말로 관용이라든가 배려라든가 동정이라든가, 그런 건 요만큼도 없어요(웃음).

작가의 한마디: 못다한 이야기 2

○떠돌이 왕자는 언제까지고 불행?

히르메스는 역시 '아르슬란 전기'의 세계를 만드는 데 매우 중요한 캐릭터죠. 원래 '귀종유리담貴種流離譚'이라는 이야기의 형태가 문학발상의 시점부터 있었습니다. 간단히 말해 '찬탈자에게 왕위를 빼앗긴 왕자가 방랑 끝에 복수를 이룬다'는 스토리인데, 그야말로 고금동서 무수한 변형이 되풀이되어 왔습니다. 그러한 스토리에서는 대체로 떠돌이 왕자가 찬탈자를 쓰러뜨리죠. 그때는 찬탈자의 자식들도 원수의 일파이기 때문에 함께 당해버리고요. 저는 그런 '원수의 일파'에게 조금 감정이입을 해버렸습니다.

"불쌍해라……. 어쩐지 당하기 위해서 태어난 것 같은 캐릭터잖아."

그래서 '아르슬란 전기'에서는 처음부터 뒤집어본 것입니다. 다시 말해 찬탈자의 아들, 전통적인 귀종유리담에서는 주인공에게 당하고 끝나야 하는 처지가 아르슬란인 거죠. 주인공 히르메스가 아버지를 잃고 왕위를 빼앗긴 채 방랑하다 고생 끝에 아군을 얻어 돌아와 찬탈자를 쓰러뜨린다는 것이 원래의 줄거리입니다. 만일 작가가 제가 아니었으면 히르메스는 주인공이 되었을지도 모르지요. 이렇게 보면 정말 불행한 캐릭터네요~. (웃음)

성격도 매우 성실하고…… 근데 등장인물의 절반 정도는 성실한 것 같네요, 자세히 보니. 잘 생각해보기 전에는 알아차리기 힘들지만요(웃음). ……그러니 라젠드라와는 다른 의미에서, 혹은 좀 더 근본적인 의미에서 아르슬란에 대응하기 위해 반드시 필요한 캐릭터였습니다. 그리고 아르슬란도 히르메스에 대응하는 입장으로 생겨난 셈이고요. 결국 '아르슬란 전기'는 귀종유리담의 변형 그 자체에 대응하기 위한 스토리였던 건가…… 으음, 그랬던 건가…… 하고 작가도 감탄하게 되네요(웃음).

힐디고【2권 2장】

루시타니아 국교회의 사병집단인 템페레시온스의 단장. 2만 4천 기사를 통솔하는, 검붉은 수염을 가진 사내. 오만불손하고 탐욕스럽다. 이교도나 이단자를 지배와 강탈의 대상으로밖에 보지 않는다. 입장 때문에 보댕의 명령을 따르지만 금품으로 감사를 표현하지 않는 보댕과 통이 큰 기스카르르를 저울질한다. 이노켄티스 7세의 처우에 관해 기스카르와 밀담을 나눈 다음 날 아침, 침실에서 미녀와 함께 살해당한 시체로 발견된다.

작가의 한마디: 못다한 이야기 3

○라스트 원

'아르슬란의 십육익장'이라는 걸 내보냈는데요, 16이라는 숫자는 처음에 생각했던 것보다 큽니다. 샤를마뉴 대제의 12신장臣將 이야기가 있었으니까 난 열둘이나 열셋…… '악마의 한 다스는 13이다'라는 이야기도 있는데(웃음)…… 누구를 죽일지는 정하지 않았지만, 뭐 그 정도로 잡아두자고 생각했습니다. 거 참, 다들 끈덕지게 살아남던데요(웃음).

그건 그렇다 쳐도 마지막 한 사람은 누가 될지를 독자 여러분들이 이렇게 궁금해하시리라고는 생각도 못했습니다. '마지막 한 사람은 이미 나왔는지 앞으로 나올지 확실히 해라.'라고요. 그래서 '독자란 의외로 캐릭터가 팀을 짜는 걸 좋아하는구나.' 싶었습니다. '십육익장'이라는 말을 꺼냈을 때부터 계~속 그런 반응이 있었으니 신기하다고 생각했죠. 뭐, 그 질문의 답은 '밝히면 재미없잖아?' 정도로 해두겠습니다(웃음).

팀이라고 하니 생각이 났는데, 10권에서는 파트나, 쿨라, 유린이라는 든든한 여성들이 나왔지요. 파랑기스, 알프리드에 이들 셋이 더해지면 여성만의 부대가 생길……지도 모르겠네요.

아르슬란 전기 외전

동방순력

東 方 巡 歷

저자: 타나카 요시키
일러스트: 카미무라 사치코

귀 있는 자여, 들으라
아름다운 나라 파르스의 이야기를
마음 있는 자여, 떠올리라
사오슈얀트 아르슬란의 치세를

사오슈얀트 헌시 제194
작자미상

I

얼어붙은 달이 지상에 은청색 가루를 뿌리는 겨울밤이었다. 파르스 왕국의 왕도 엑바타나는 새로운 샤오 아르슬란이 즉위한 후 첫 한랭기를 맞고 있었다. 파괴와 약탈을 마음껏 누렸던 루시타니아군은 국경 밖으로 밀려나고 평화가 회복되었다. 침략자들이 가져온 황폐는 여전히 시가에 짙은 그림자를 드리우고 있었지만 남쪽의 항구도시 길란에서 온 물자가 시장을 형형색색으로 물들여 시민들은 굶주림과 추위를 면할 수 있게 되었다. 엑바타나의 시장경제가 길란 상인들의 손에 넘어간 것을 불쾌하게 여기는 목소리도 있으나 그것은 또 다른 문제다.

이웃 나라 신두라에서 온 사자를 맞아 연회가 열린 밤. 아직까지 완전히 수복되지는 않은 왕궁의 노대露臺에, 술기운을 발산하려는 것인지 두 사람의 그림자가 밤바람에 몸을 맡기고 있었다.

"달이 뜬 밤에는 어울리지도 않게 지난날을 떠올리곤 합니다."

"……세리카 말인가."

대화를 나누는 것은 열다섯 살 생일로부터 3개월 정도가 지난 샤오 아르슬란, 그리고 그의 휘하에서 숱한 공훈을 세운 마르즈반 다륜 경이었다. 두툼한 겨울용 예복을 입고 허리에는 검 한 자루만을 찬 차림이었으나 어떠한 복장을 갖추든 다륜이 파르스의 시나 역사서에 등장할 때는 '흑의기사'라 불린다.

아르슬란의 질문은 약간 성급한 것 같았다 예의바른 흑의기사는 곧바로 대답하진 않았다. 혹시 춥지는 않으냐고 반문한 후, 그는 샤오의 물음에 긍정했다.

"바로 몇 해 전입니다만 이미 백 년도 더 지난 옛일처럼 여겨집니다."

다륜의 시선이 다시 은색 달에 머물렀다. 2천 파르상(약 1만 킬로미터) 거리를 두고 같은 달이 다른 나라를 비추고 있을 것이다. 맞은편 기슭이 보이지 않을 정도로 큰 대하大河.

땅 끝까지 이어진 길고 긴 성벽. 복숭아와 자두의 향기로 가득 찬 늦봄의 화원. 유려한 곡선을 그리는 지붕에 청금석빛 기와를 얹은 거대한 궁전. 파르스에는 존재하지 않는, 풀인지 나무인지 모를 신비한 식물── 대나무. 파르스에는 생존하지 않는 우아하고 당당하면서도 위험한 동물── 범. 풍성히 결실을 맺은 논에서 수직으로 하늘을 향해 치솟은 모양을 한 산. 어린아이만 한 담수어의 무리. 쌀로 빚은 하얀 술. 위에서 아래를 향해 세로로 써 나가는 표의문자. 젓가락이라 불리는 두 개의 가느다란 막대를 능숙히 사용해 식사를 하는 사람들……. 무수한 영상이 소리도 없이 한꺼번에 밀려들어와 다륜은 정신이 아득해지는 것 같았다.

……모래 폭풍의 마지막 포효가 사라지자 사막은 순식간에 소리도 없는 세계로 돌아왔다. 시야가 닿는 곳을 모두 메운 구불구불한 모래언덕의 무리는 기나긴 시간을 묻어놓은 분묘처럼 보였다.

아주 조그만 모래언덕 하나가 갑자기 꿈틀거렸다. 모래가 터져 나가고 하늘로 솟아오른 것은 인간의 손이었다. 손목까지 까만 갑주에 싸여 있다. 이어서 검고 커다란 천이 뒤집어지더니 상당히 많은 모래를 털어냈다. 망토를 손에 들고 일어난 것은 모래 폭풍에 목숨을 잃지

않고 간신히 살아난 인간이었다. 다부진 장신을 흑의흑갑으로 감싼 그는 20대 중반 정도로 보였다.

당시는 파르스력으로 317년 5월. 다륜은 스물네 살이었다.

그가 모래 한 자락에 손을 대자 더 커다란 천이 모래를 털어냈으며, 그 밑에서 숨을 죽이던 생물들이 일어났다. 말이 두 마리, 당나귀가 한 마리, 그리고 인간 사내가 한 사람이었다.

"허이구, 이거 덕분에 살았네요."

사내는 모래와 숨을 동시에 토해냈다. 두 손을 모으고 파르스의 젊은이에게 인사한다.

"다륜 경은 생명의 은인입니다요. 언젠가 이 은혜는 반드시 갚을 테니 잊지 마십쇼."

"그대가 직접 기억해두면 될 것 아닌가. 피차일반이니 은혜로 생각할 것도 없을 텐데."

"아닙니다. 소생은 여기저기다 저 좋을 대로 말만 퍼뜨리고 다니는 놈인지라, 일일이 기억하지도 못합지요."

유들유들하게 그런 소리를 하며 사내는 몸을 완전히 일으키고 여기저기를 툭툭 두드렸다. 그럴 때마다 조그만 먼지가 일어나 다륜은 살짝 눈살을 찡그렸다.

생각지도 못했던 모래 폭풍 때문에 본대와 완전히 떨어져버리고 말았다. 세리카의 황제에게 헌상할 보물을 실은 당나귀 한 마리가 행방불명되어, 이를 찾아다니던 끝에 이렇게 되고 만 것이다.

세리카로 향하던 파르스의 사절단은 사절단장 마칸 경 이하 문관 열 명, 유학생 스무 명, 의사와 그들의 조수가 합계 여덟에, 짐을 운반할 당나귀를 돌보는 사람이 쉰 명, 요리사가 여덟 명, 여기에 수레바퀴를 수리할 기술자, 마구를 수리할 기술자, 활 기술자 등등이 있어 비전투원이 합계 백이십 명에 이르렀다. 그들을 지키는 호위대의 대장이 다륜, 부대장이 바누였다.

다륜 일행이 통솔하는 기병은 삼백 기. 엄선된 정예들이지만 물론 대군을 상대하기란 불가능하다. 다만 파르스에서 세리카로 파견된 사절단을 공격하려는 자는 두 대국의 보복을 각오해야만 하리라. 바누는 다륜보다도 연장자이며 젊은이의 부하가 된 것을 언짢게 생각하는 듯했으나 이를 노골적으로 드러낼 만큼 마음이 좁지는 않았다. 이제까지 딱히 문제도 없이 두 사람은 협조하며 왔다.

모래 폭풍이 가라앉은 직후 주위의 지형은 완전히 바뀌었다. 무수히 이어진 모래언덕의 무리는 이제 막 태어난 대지의 젖먹이나 다름없다. 바람을 따라 이동하고, 드물게는 호우에 녹아 무너지기도 한다. 이런 것들을 이정표로 삼았다가는 영원히 사막에서 탈출할 수 없다. 다륜 일행도 목숨을 건졌으니 사절단 본대가 전멸했으리라 생각할 수는 없었다. 다륜 일행을 반쯤 포기하면서도 사막을 빠져나가고자 발걸음을 서두르고 있을 것이 분명하다.

아무튼 동쪽으로 나아가면 반대 방향으로 가지는 않을 것이다. 최악의 경우에라도 세리카의 제도帝都에서 본대와 합류할 수 있으리라. 다행히 지금은 하늘도 맑았으며 태양의 위치는 확실히 알 수 있다. 게다가 통역 겸 안내인인 물크가 있어주니 마음도 든든하다. 물크는 파르스인이 아니라 파르하르인이었다. 마지막 먼지를 털어내고 그가 말했다.

"뭐, 사막도 슬슬 다 끝났으니까요. 오늘내일 안으로 국경에 도착할 겁니다요. 안심하십쇼."

세리카인도 파르스인도 국제 교역이 왕성한 것치고는 외국어에 밝지 못하다. 자국어로 거의 모든 볼일을 볼 수 있기 때문이다. 따라서 대륙공로를 따라 점점이 존재하는 조그만 도시국가의 주민에게 통역이나 안내를 부탁하는 경우가 많다. 이번에 파르스 사절단은 파르하르라는 도시국가의 주민을 다섯 고용했다.

동서 각국의 피가 뒤섞인 탓인지 파르하르인들의 용

모는 개인차가 크다. 부모자식이나 형제자매끼리도 서로 닮지 않아, "그래서 다들 마음대로 바람을 피울 수 있지." 하고 다소 위험한 농담을 나누기도 한다. 대륙공로에서 가장 미남미녀가 많은 곳이라는데, 그것도 혼혈 탓이리라.

스무 살이 넘은 파르하르인이라면 최소 세 나라의 말을 유창하게 할 수 있다. 파르하르어, 파르스어, 세리카어. 물크는 나이를 알 수 없는 사내로, '꽃도 부끄러워할 열여덟 살' 이라는 소리를 유들유들하게 늘어놓으면서 투란어, 튀르크어, 신두라어, 나아가서는 미스라어까지 구사했다. 지리나 습관에도 밝아 통역과 안내인을 맡기기에는 더할 나위 없는 사내였다.

이유는 알 수 없었으나 물크는 세리카에 대해 별로 호의적이지 않았다. 말을 타고 동쪽으로 나아가며 그는 다륜을 바라보았다.

"건물이 크고 훌륭해도 실내는 먼지투성이인 경우도 있거든요."

비판에 가까운 말이었다.

"세리카는 부유하고 강하고, 예술과 학문의 꽃을 피우고 있습죠. 하지만 주민이 모두 성인군자인 건 아닙니다요."

"그대보다 악랄한 자도 있나?"

"농담도 참. 소생은 선량하고 잘 속는 사람입니다요."

다륜은 추측했다. 보아하니 물크는 세리카의 상인에게 '한 방 먹은' 경험이 있는 모양이었다. 일방적으로 속은 것이 아니라, 누가 더 유들유들한지 경쟁하다 패했으리라. 물크가 성인군자라고는 다륜도 생각하지 않았다.

파르스인의 내심을 아는지 모르는지 물크는 말을 이었다.

"세리카에서는 선대 황제가 6년 전에 퇴위하셔서 태상황이라 불립니다요. 황태자가 새 황제가 된 겁니다요. 천하는 태평, 국가의 초석도 탄탄하니, 오호 선재로다, 라고 누구나 생각했습죠. 한데……."

다소의 연출을 담아 그는 말을 끊었다. 다륜은 하는 수 없이 상대의 분위기에 넘어가주었다.

"한데, 유감스럽게도 그렇게는 되지 않았다는 게로군."

"정확하십니다요."

물크는 무겁게 고개를 끄덕였다. 단순한 통역안내인이라기보다는 무지한 학생에게 지식을 전수해주는 선생님 같은 인상이었다. 그럼에도 별로 아니꼽지 않은 이유는 이 파르하르인에게 기묘한 애교가 있기 때문일 것이다.

공처럼 몸이 둥그스름한데 신기하게도 늘어지지는 않

았다. 본인의 말에 따르면 사막에서 며칠씩 먹고 마시지 않아도 살아갈 수 있도록 몸속에 영양을 축적해놓았다나. 낙타라면 등의 혹에 영양을 넣어둔다지만 인간은 혹이 없으니 그랬다는 것이다. 아울러 그는 파르스 사절단에서 제공할 보수를 디나르(금화)도 드라흠(은화)도 아닌 진주로 달라고 요청했다.

"진주가 그렇게 좋은가?"

"4월의 비를 맞은 진주로 부탁드립니다요."

무슨 이유에서인지 파르스 산 진주 중 최고급에 속하는 것을 그렇게 부른다. 대륙 오지에서는 광산에서 채굴되는 온갖 보석보다도 진주를 더 값지게 여긴다. 바다가 없으니 당연한 일이다.

그런 진주를 내륙에서 만들겠다는 것이 물크의 바람이었다.

남들이 보기에는 제대로 된 생각이라고는 여겨지지 않았지만 당사자는 매우 진지했다. 내륙 곳곳에 존재하는 소금호수 중에서 가장 조건이 좋은 호수를 골라, 그곳에서 진주조개를 양식하겠다는 것이 그의 계획이었다. 그러기 위해서는 시간과 자금과 기술이 필요하며 물크는 파르스와 세리카 양국에서 자금을 모아 기술이 뛰어난 양식업자를 모아 '대륙공로 최고의 진주왕이 되겠다' 고 호언장담했다. 다른 파르하르인들은 어이가 없었는지

고개를 가로저을 뿐이었지만.

아무튼 물크는 세리카 국내의 사정에 대해 이야기를 이어나갔다. 현재 제위를 둘러싸고 궁정 내에서 항쟁이 발생하고 있다는 말이었다.

세리카의 황통皇統은 약 천 년, 52대에 걸쳐 이어지고 있다. 현재의 태상황은 제51대였으며 40년간 제위를 독차지했다. 느슨해진 국정을 바로잡고, 다섯 차례에 걸쳐 외적을 물리쳤으며, 재정을 재건하여 명군이라 칭송을 받았다. 황후는 일찍 죽었으나 태상황이 된 후 란푸(藍妃)라는 정부와의 사이에서 사내아이가 태어났다. 이것이 화근이 되었다.

란푸의 입장에서는 자신이 낳은 아이를 제위에 올리고 싶다. 그러나 현재 그녀의 자식은 황제의 이복동생일 뿐이며 제위 계승 순위는 매우 낮다. 이대로 가다간 단순한 궁정귀족으로 생애를 마감하게 되리라.

그래서 그녀는 태상황을 복벽復辟시키려 한다. 쉽게 말해 다시 한 번 황제의 자리에 되돌리겠다는 소리다. 황태자를 정할 권리는 황제만이 가지고 있으므로 란푸가 낳은 자식을 후계자로 선언하게 만들겠다는 것이다. 원래는 도저히 먹힐 리가 없는 이야기지만 늙은 태상황은 란푸를 사랑했으며, 늘그막에 태어난 자식을 아꼈다. 태상황은 곤혹스러워하는 중신들이 만류하는 것도 뿌리치고 아들인 황제에게 제위를 반납하도록 끊임없이 요구하고 있다고 한다.

"평지풍파란 말이 딱 어울리는군. 나 같은 이방인이 이런 말을 해봤자 주제넘은 짓이겠지만, 퇴위하신 후에 자신의 명성을 스스로 깎아내리다니."

물크는 그렇게 말하는 다륜을 돌아보았다.

"그렇게 생각하십니까요?"

"생각하네."

애초에 제위를 아버지에게서 자식에게로, 자식에게서 손자에게로 세습시키는 이유가 무엇인가. 제위 계승의 원칙을 세우고 제권을 안정시키기 위함일 터. 한번 퇴위한 선제가 복벽하고 현재의 황제를 옥좌에서 쫓아내다니, 제권의 권위를 뒤흔들고 신뢰를 깎아내릴 뿐이 아닌가. 이 이야기가 사실이라면 물크의 말대로 세리카의 내정도 칭찬하기 힘들 것 같았다.

II

대륙공로의 주민들이라면 누구나 잘 알지만, 세리카의 북쪽과 서쪽을 가로지르는 국경선에는 장대한 석조 방벽이 세워져 있다. 이는 '장성長城'이라 불리며, 총 길이는 파르스의 척도로 2천 파르상(약 1만 킬로미터)

에 이른다고 한다. 50만 명의 병사가 이를 지키며 성문의 수는 천, 망루의 수는 3천이며 성벽 위는 도로로 되어 있어 마차 세 대가 나란히 달릴 수 있다고 들었다. 그렇게 장대한 건축물이 지상에 존재한다니 다륜은 좀처럼 믿을 수 없었다. 그러나 지금 물크가 손을 들어 손가락으로 가리킨 것은 무엇일까.

"저겁니다요, 다륜 경. 저게 세리카의 장성입죠."

그저 평탄하기만 하던 황야 저편에 낮은 기복이 이어져 있다. 세리카의 북쪽과 서쪽 국경을 가로지르는 산맥이다. 그 능선에서는 어딘가 자연스럽지 못한 것이 느껴졌다. 다륜은 눈에 힘을 주었다. 그것은 분명 성벽이었다. 믿을 수 없을 정도로 길고도 길게 뻗은 석벽이다. 곳곳의 약간 높다랗게 보이는 곳은 망루일까. 말을 타고 다가감에 따라 전설적인 장성의 모습은 파르스인의 눈에 뚜렷하게 들어왔다. 처음에는 망연자실했던 다륜도 익숙해짐에 따라 무인의 눈으로 관찰하기 시작했다.

"잘 만들었군."

다륜은 감명을 받았다. 장성은 그저 규모가 큰 것만이 아니었다. 산과 산의 능선 위에 지어진 장성을 공격하려면 산꼭대기로 올라가야만 한다. 성벽에 도착했을 때면 사람도 말도 완전히 지칠 것이다. 숨을 헐떡이며 주저앉았을 때 성벽 위에서 화살과 돌을 퍼부어대면 속절없이 격퇴당하고 마는 것이다. 게다가 성벽 위에서 지상을 내려다보면 사각이 없고 능선 바깥쪽에는 수목이 없어 풀뿐이니 쏟아지는 화살과 돌을 막아낼 방법도 없다.

"이건 난공불락이로군. 성내에서 배신자라도 나오지 않는 이상 도저히 함락시킬 수 없겠어."

"그렇겠죠. 저 장성을 경계로 기후까지 달라진다니깐요. 장성 저쪽은 세리카의 본토이고 수목이 우거져 있지만, 이쪽은 사막과 초원이라……."

세리카의 북쪽에는 아직 국가로서 조직되지 않은 유목민족이 더러 존재한다. 그들의 입장에서 보자면 장성은 부유한 문명국과 가난한 자신들을 냉담하게 가로지르는 존재일 것이다. 그들은 장성을 증오하고, 저 벽을 넘어 풍요로운 민족에게서 약탈하는 꿈을 꾸고 있다.

"한나절이면 장성에 도착할 겁니다. 성벽을 따라 걸으면 성문 중 하나에……."

물크의 목소리가 끊어졌다. 다륜은 말 위에서 뒤를 돌아보았다. 그들의 후방은 모래가 많은 평탄한 황야였는데, 그곳에 한 줄기 모래먼지가 피어나고 있었다. 모래먼지를 일으키는 것은 말을 탄 그림자 하나이며, 그보다도 뒤에 일고여덟 줄기의 모래먼지가 달려오는 것이 보였다. 마필 1기를 쫓아 여러 명이 질주하고 있다. 그것은 알 수 있었다. 알 수 없는 것은 그렇게 된 이유뿐.

그림자는 점점 다가왔다. 이제는 말 위에 탄 사람의 모습이 뚜렷이 보인다. 붉은 술이 달린 세리카식 투구, 허리에는 속대束帶를 찼으며 은색 갑주를 패용했다. 그러나 얼굴은 보이지 않았다.

기사는 뒤로 돌아 안장에 올라앉았던 것이다. 추격해 오는 적과 정면으로 마주본 모습이었다. 아무리 평탄한 지형이라 해도 질주하는 말을 뒤로 돌아앉아 몰다니, 대담함의 극치라 해도 과언이 아니었다.

기사는 그대로 활을 들고 시위를 팽팽하게 잡아당겼다. 허점도 없고 흐트러짐도 없다. 완벽에 가까운 기사騎射 자세였다.

시위 소리가 바람을 갈랐다.

추적자 중 하나가 두 손발을 치켜들고 말 위에서 공중제비를 넘었다. 눈에 보이지 않는 거인이 그를 떠민 것 같았다. 그러나 모래 위로 굴러가는 그의 가슴에는 수직으로 화살이 박혀 있었다.

기수를 잃은 말은 갑자기 하중이 줄어 균형을 잃고 비틀거리다 옆으로 쓰러졌다. 나머지 7기는 분노 섞인 외침과 함께 여전히 질주를 계속했다. 그러나 더 이상은 한데 뭉쳐 달리지 않고 좌우로 기수를 돌려 흩어졌다. 한두 명이 더 사살당한다 해도 다른 자들이 그 사이에 육박해 베려는 심산이었다.

“저 거꾸로 탄 기수는 여자네요.”

물크가 말했을 때 다륜은 장검 자루에 손을 대고 있었다. 쫓기는 자가 다륜의 바로 곁까지 왔다. 질주하는 말이 속도를 늦추었으므로 기수가 돌아보았다. 백옥 같은 얼굴에 놀라움과 긴장의 빛이 내달렸다. 다른 적이 기다리고 있다고 생각했으리라.

속도를 늦추며 여기사의 말은 다륜의 곁을 지나 달려갔다. 겨우 몇 순간의 차이로 추적자들이 쇄도했다. 한번 산개했다가 그물코를 당기듯 기수를 좁혀왔던 것이다. 가죽갑옷을 입고 양털 모자를 쓴 그들은 누가 보아도 세리카 사람이 아니었다. 다륜을 적이라 간주했는지 괴성을 지르며 만도彎刀를 쳐들고 다륜에게 달려들었다.

대응을 선택할 때가 아니었다. 말이 통하리라는 생각도 들지 않았다. 다륜의 장검이 울부짖으며 허공에 빛과 핏줄기를 그렸다. 양모 모자가 피에 젖어 허공을 춤추고 팔이 만도를 쥔 채 바닥에 굴렀다.

적은 재빨랐다. 순식간에 승산이 없음을 알아차리자 중상을 입은 동료 둘을 데리고 쏜살같이 도망쳤다. 꿈에서 깬 기분으로 기수를 돌린 다륜은 도움을 주었던 여기사가 그를 노려보며 거꾸로 탄 자세 그대로 다륜의 목줄기를 조준하고 있음을 깨달았다.

활을 겨눈 적에게는 왼쪽으로 돌아 들어가는 것이 철

칙이다. 적의 기준에서는 오른쪽으로 돌아 들어오는 셈이다. 활은 오른손으로 시위를 당겨 왼쪽 방향으로 화살을 쏘는 구조이므로 오른쪽으로 돌아 들어오면 창졸간에는 대응하기가 힘들다. 그러려면 자신이 오른쪽으로 방향을 바꾸어야 한다.

다륜이 호를 그리며 왼쪽으로 돌아가자 상대는 이에 대응해 오른쪽으로 돌았다. 두 사람이 각자 크고 작은 원을 땅에 그리며 한동안 돌고 돌게 되었다. 목숨을 건 행동이지만 한 발짝 물러난 제삼자의 눈으로 보면 상당히 우스꽝스럽게 보일 것이다. 게다가 한쪽은 뒤로 돌아 말을 타고 있다. 다륜의 정면에는 항상 상대의 말 엉덩이가 있었으며 그 위에서 긴장한 낯빛을 한 여인이 화살을 겨누고 있다.

"이봐요, 두 분. 이제 그만들 두시죠. 원한이 있는 것도 아닌데 목숨 걸고 노려보는 것도 어리석은 일 아닙니까요? 우선 검을 거두고 활을 거두고, 서로 대화를 나눠보면 어떻겠습니까요?"

물크가 고함을 지른 것이었다. 파르스인 기사는 크게 숨을 토해냈다.

"물크, 저분께도 전해주게. 나는 서쪽 끝의 파르스 왕국에서 이곳에 온 자이며 해칠 뜻은 없다, 이처럼 검을 거둘 테니 그대도 활을 내려달라고."

다륜이 말을 끝내기도 전에 물크는 힘차게 혀를 놀리기 시작했다. 여기사의 표정에서 날카로운 적의가 사라지더니, 활을 든 손이 천천히 내려갔다.

III

말 위에서 앞뒤 방향을 바꾸어 제대로 된 기마자세를 취한 세리카의 여기사는 흥미로운 듯 다륜을 관찰했다. 그것도 오래 가지는 않았다. 본래의 것으로 보이는 활달한 미소를 지었다.

"용서하시오, 이국의 기사여. 온통 검은 장속인 탓에 아군鴉軍이라 생각하였소."

"파르스어를 할 수 있소?"

다륜의 목소리에 놀라움이 묻어났다. 완벽에 가까운 파르스어를 세리카 사람의 입에서 들을 수 있으리라고는 생각도 못했던 것이다.

"세리카의 주요 도시에는 파사(波斯, 파르스) 사람이 다수 있소. 궁정과 관청에 근무하는 자도. 그들에게 배웠소. 외국어를 하나 습득하면 놀라울 정도로 세상이 넓어지지."

그렇게 설명하더니 여기사의 표정이 다시 바뀌었다. 무언가 중요한 일을 떠올린 모양이었다. 애초에 어떤

이유로 쫓기고 있었단 말인가. 그녀는 기수를 돌리며 말을 걸었다.

"파사인이여, 따라오시오. 그대에게 무훈을 세우게 해 줄 터이니."

"무훈?"

"황제폐하께 감사장을 받을 만한 무훈이라오."

황제의 이름이 나와 다륜은 당혹했다.

"실은 공주전하께서……."

그녀의 말이 이어졌다. '공주公主'란 세리카의 황족 여성을 칭하는 말이라고 배운 적이 있다. 황제의 딸인 싱량(星涼) 공주라는 여성이 변경을 시찰하던 중 유목민 도적 떼에게 습격을 당했다고 한다. 그녀는 공주를 호위하던 자로, 급보를 알리고자 장성까지 말을 몰아 달려오던 중이었지만 서둘러 돌아가야만 한다는 것이다.

"그쪽 사정만 가지고 결정하면 곤란하오."

"허어, 싸움을 두려워할 자로는 보이지 않소만."

"싸움을 두려워하진 않소. 무익한 싸움에 휘말려드는 것을 기피할 따름이지."

"하! 영리한 말씀도."

"애초에 그대가 올바른 진영에 속했으리라는 증거가 없소. 어떻게 증명하겠소?"

다륜은 본래 이처럼 이치를 따지는 기질이 아니었다.

그러나 파르스 왕국의 사절로 온 이상 함부로 분쟁에 말려들 수는 없었다.

"이 눈을 보시오, 파사인이여."

"……?"

"이 눈을 보라 하였소. 정의와 진실의 빛으로 넘쳐나지 않소? 모르시겠나?"

"……아니, 잠깐."

"모르겠다면 그대의 눈은 죽은 생선처럼 허연 막이 씌인 게 틀림없겠군. 부탁할 가치도 없는 무용한 인물이겠지. 거기 말안장 위에서 오른쪽일지 왼쪽일지 하염없이 고민하시게."

내뱉더니 여기사는 말을 몰기 시작했다.

"흐음. 파르스어로 저만한 험담을 늘어놓을 수 있다니, 대단한걸."

묘하게도 다륜은 감탄했다. 그의 본래 기질이 망설임을 이긴 것이다. 어차피 이미 말려든 몸. 여성이 도움을 청하는데 거절하다니, 무인의 도리를 저버리는 짓이 아닌가.

다륜이 말을 몰아 여기사의 뒤를 따르자 무언가 큰 소리를 지르며 물크도 뒤를 따라왔다. 다륜과 헤어지기 불안했던 모양이다. 한손의 고삐로는 당나귀를 당기고 있으니 전력질주를 할 수는 없다.

천을 헤아릴 정도의 시간이 지난 후, 다륜 일행은 전장에 도달했다. 높고 낮은 뿔피리 소리가 울려 퍼졌다. 그것은 명백히 일정한 음률을 가지고 있었다. 그 소리로 부대 전원이 일사불란하게 행동하는 것이다. 병력의 수는 50기 정도지만 땅에 쓰러진 채 움직이지 않는 그림자가 수없이 있는 것을 보면 처음에는 좀 더 많았던 것이 분명하다. 습격자는 100여 기. 가죽갑옷을 걸친, 누가 보더라도 조금 전의 추적자들과 같은 북방유목민의 무리였다.

"과연. 세련되었군."

다륜은 감탄했다. 숫자에서 우세한 습격자들이 좀처럼 방어원진을 돌파하지 못했다. 원진 중심에는 비단 장막을 드리운 반원형 통 모양의 커다란 마차가 보였으며 열두 마리나 되는 말이 이를 끌고 있다. 저 마차 안에 공주전하인지 뭔지가 탔을 것이다. 화살이 수없이 박혀 있지만 마차 안까지는 이르지 못한 모양이었다.

그러한 것들을 재빨리 관찰하고 다륜은 안장에 걸쳐놓았던 방패를 떼어 왼손에 들었다. 그러다 기묘한 사실을 깨달았다. 방어하는 병사들은 모두 여자가 아닌가.

"공주전하를 수호하는 낭자군娘子軍이오."

여기사의 설명에 다륜은 놀랐다. 세리카에는 여성만으로 편성된 군대가 있다는 것이다.

황제의 후궁만도 3천 명에서 5천 명의 미녀가 있다고 한다. 그녀들을 호위하기 위한 여성 군대가 존재한다 해도 이상할 것이 없을지 모른다.

여기사는 검을 뽑더니 말을 몰며 호령했다.

"샤아(殺)!"

파르스어로 "야샤스인(전군 돌격)!"에 해당하는 말인 것 같았다. 다륜은 그녀에게 반 마신馬身 정도 뒤처져 말을 몰다가, 이내 그녀와 나란히 서더니 추월했다. 눈앞의 피와 모래먼지가 미친 듯이 춤을 추고 있었다.

다륜은 왼팔로 방패를 내밀고 오른손에 무거운 장검을 든 채 발로 말의 배를 걷어찼다. 이에 호응한 말은 용감하게 난전의 소용돌이 속으로 뛰어들었다. 섬광의 폭포가 허공에서 쏟아져, 막 여병사의 목을 찌르려던 적병의 머리를 땅에 떨어뜨렸다.

머리를 잃은 몸통이 비틀거리는 것을 무시하고 다륜은 더욱 돌진하여 두 번째 적을 피안개 속에 베어 쓰러뜨렸다. 희생자의 몸이 완전히 땅에 떨어지기도 전에 파르스인의 강인한 손목이 홱 돌아가자 세 번째 도적의 턱 밑에서 선혈이 치솟았다. 방패가 강렬한 금속성을 냈다. 네 번째 도적이 무거운 전투도끼를 휘둘러 수평 일격을 날렸던 것이다. 이자만 양모 모자가 아니라 술이 없는 둥그런 투구를 쓰고 있었다. 강렬한 타격에 방패

위쪽이 갈라졌다. 흩어진 파편이 팔맷돌처럼 다륜의 이마를 후려쳤다.

두 번째 일격이 날아들었다. 벼락과도 같은 기세를 받아낸 다륜의 방패가 두 쪽으로 갈라졌다. 그러나 안장에 몸을 묻은 다륜은 죽음의 선풍이라고 형용할 만한 세 번째 일격을 허공으로 흘려보낸 것과 동시에 날카로운 찌르기를 날리고 있었다. 다부진 허벅지를 깊이 찔린 상대는 고함을 지르며 말 위에서 비틀거렸다. 이어진 일격이 투구를 강타해, 눈앞이 어찔해진 상대는 거꾸로 낙마했다.

당황한 외침이 들리더니 다륜의 몸 주위에서 검과 창 울리는 소리가 물러나기 시작했다. 보아하니 다륜이 부상을 입힌 자가 습격자들의 지휘관이었던 모양이다. 거꾸로 떨어지면 목뼈가 부러지기도 하거늘, 금방 비척비척 일어나는 것을 보면 상당히 튼튼한 인물인 것 같았다. 기껏 일어났는데 안됐지만 다륜은 그의 뒷머리를 검 옆면으로 후려쳐 다시 땅에 거꾸러뜨렸다.

그 사내는 의식을 회복한 다음 가죽끈에 단단히 묶인 자신의 모습을 발견하게 되었다. 주위에는 그의 동료가 40명 정도 있었지만 숨을 쉬는 자는 하나도 없었다. 황족을 습격한 죄는 매우 무거우므로 사내는 황도로 연행되어 단죄에 처해질 것이다.

하지만 세리카의 법은 법이고, 다륜에게는 다른 생각이 있었다. 그는 여기사와 함께 말에서 내려 반원통형 마차 앞에 가 깊이 인사를 올렸다. 마차의 입구에는 두터운 비단 장막이 드리워져 있었으나 그것이 열리자 이번에는 직물 장막이 나타났다. 그 안에서 그림자가 움직이더니 여성의 목소리가 짧게 흘러나왔다. 당연한 말이지만 다륜은 목소리의 주인에게 관심이 끌렸다. 여기사를 돌아보았다.

"존안을 뵐 수는 없소?"

"안 될 말이오."

다륜의 요청은 일언지하에 기각되었다. 세리카 황족 여성은 남편과 아버지, 자식, 형제 이외의 사내에게 맨얼굴을 보여서는 안 된다는 것이었다.

"그러나 그대의 도움에 진심으로 감사한다고 말씀하셨소. 제도에서 반드시 노고에 대한 보답이 있을 것이오."

이때 딱딱하던 표정을 바꾸더니 여기사는 친근하게 말을 걸었다.

"덕분에 살았소. 그대가 와주지 않았더라면 막아내지 못했을지도 모르지."

"누가 아니랍니까요. 대단한 수훈이었습죠."

그렇게 말한 것은 물크였다. 이 약삭빠른 사내는 피비린내 나는 전투가 끝난 후에야 이 자리에 도착한 것이다. 물크는 무언가 귀중품은 없는지 주위를 뒤지고 다녔지만 유목민들이 그런 것을 버리고 갈 리도 없어 그의 손에는 창 비슷한 무기가 남았을 뿐이었다. 다륜은 흥미가 동했다. 자루 끝에는 세 갈래로 갈라진 칼날이 붙어 있었다.

"이 무기는 무엇이오?"

"극戟이라 하오. 베는 것도 찌르는 것도 자유자재라 창보다도 응용범위가 넓지."

"흐음, 재미있는걸."

다륜은 처음 보는 무기를 새삼스레 응시했다. 칼날의 좌우에 튀어나온 은색 가지는 쓸모가 있을 것 같았다. 적의 검이나 창을 받아내기도 쉽고, 그저 받아내기만 하는 것이 아니라 얽어서 부러뜨리는 것도 가능하리라. 세리카 본토에서 좋은 스승을 만나 기술을 배우고 싶다는 생각이 들었다. 다륜이 그렇게 말하자 여기사가 웃으며 고개를 끄덕이더니, 짚이는 곳이 있으니 소개시켜 주겠다고 했다.

이때 처음으로 다륜은 여기사와 서로 통성명을 했다. 그렇다 해도 그녀는 자신을 화관장군花冠將軍이라 소개했으며, 본명이 아니라 낭자군의 대장이라는 칭호일 뿐이라고 했다. 지금 깨달은 것은 아니었으나 화관장군은 낭자군 내에서도 가장 아름답고 두 눈의 광채가 흑진주를 방불케 했다. 콧날도 입도 명공이 심혈을 기울여 조각한 것처럼 수려했다. 한순간 눈이 부시다는 생각을 한 다륜은 약간 갑작스럽게 화제를 바꾸었다.

"나의 벗 중에 유별난 자가 있어서 사정만 허락한다면 이 나라를 방문하고 싶다고 하였소. 적어도 오 년은 체류하며 온갖 지식을 흡수하고 싶다고."

"학자요, 무인이오?"

"아니…… 화가요."

다륜은 짧게 쓴웃음을 지으며 벗의 모습을 떠올렸다. 대귀족의 신분으로 태어나 젊어서 재상을 지낼 만한 역량을 가졌으면서도 한 자루의 화필에 평생의 꿈을 걸려 하는 사내다. 다륜이 세리카에서 돌아갔을 때 어떤 표정으로 그를 맞이해줄지 기대되기도 하고 다소 불안하기도 했다.

IV

공주의 마차를 에워싸고 낭자군은 장성을 향해 걷기 시작했다. 물크도 포함하여 모두가 말을 타고 있다. 유목민의 수령은 묶인 채 말 위에서 언짢은 듯 침묵을 지켰다. 다륜과 말을 나란히 몰며 화관장군이 물었다.

"파사의 왕은 어떤 분이시오?"

"용맹한 무인이며 결단력이 뛰어나시지."

파르스 샤오 안드라고라스 3세는 등극한 후 궁정 내에 발호하는 수상쩍은 예언자며 주술사들을 일소해버렸다. 외정 면에서 보자면 바다흐샨 공국을 병합하여 영토를 확장하고 동방3개국 연합군을 격퇴하여 맹위를 떨쳤다. 나이도 아직 40대라 이 샤오가 건재한 한 파르스 왕국의 초석은 흔들릴 여지가 없었다. 문무 제신들은 대부분이 그렇게 믿었다.

다륜도 아마 그러하리라 생각했지만 전면적으로 믿는 것은 아니었다. 그것은 다비르를 지내던 벗의 영향이었다. 그는 다륜에게 이렇게 말했던 것이다.

"안드라고라스 폐하는 강하시지. 그리고 인간도 국가도 강하기만 하면 된다고 믿고 계시고. 한번 잘못 걸려 넘어졌을 때 어떻게 될지가 뻔히 보인다니까."

"나에겐 자네의 입이 더 위험해 보이는군. 일부러 재앙을 초래할 필요는 없다는 말이 있네."

"알았어. 조심하지."

다륜이 주의를 주자 그리 대답하기는 했지만, 과연 얼마나 진심일까. 부드러운 용모에 어울리지 않게 완고하고 호전적인 자인만큼 지금 이 순간도 왕궁에서 말썽을 일으키고 있을지 모른다.

화관장군의 말투는 어딘가 그 벗과 비슷했다. 그녀가

파르스 국왕에 대해 다륜에게 물어본 이유는 자신들의 황제와 비교해 어떤지 알고 싶기 때문인 것 같았다.

"황송하기 그지없는 말이지만, 황제폐하는 위대한 군주셨던 태상황께 항상 열등감을 품고 계시네."

파르스에서도 있었던 일이다. 어느 나라에서든, 왕실이 아니더라도 있는 일이리라. 위대한 아버지의 존재는 자식에게 부담이다. 아버지를 능가하는 재능이 있으면 상관없다. 아버지와 다른 길을 걸어도 된다. 그러나 어느 쪽도 불가능하다면 자식에게는 괴로운 일이 된다.

퇴위한 후 태상황은 통츠(東都)의 별궁에 살게 되었다. 통츠란 세리카의 동부에 있는 커다란 성새도시로 황실의 발상지이기도 하다. 태상황은 낡은 궁전을 개축하여 정원을 정비하고 매화며 복숭아 등 1만 그루나 되는 화목을 심었으며 뱃놀이를 할 수 있는 커다란 연못을 만들었다. 여기에 서고를 세워 10만 권의 서적을 모았다. 다망한 정무에서 해방되어 역사 연구와 산책과 가무음곡歌舞音曲 감상으로 느긋한 하루를 보낼 생각이었다.

1년 정도는 무사히 지났다. 그러나 차츰 태상황은 즐거움을 느끼지 못하게 되었다. 원래 정력적이고 근면한 통치자였기에 국정에 관여하지 않게 되자 지루해서 참을 수가 없었던 것이다. 역사 연구만 해도 정무 짬짬이 하기에 재미있지, 여기에 전념하면 별로 즐겁지도 않았다.

시츠(西都)에 있는 새 황제의 입장에서 보자면 이쪽도 달갑지 않은 하루하루였다. 아버지가 규정한 법에 따르기만 할 뿐, 독자적인 정책은 아무 것도 추진할 수 없었으며 중신들은 아직까지도 새 황제를 '어린 황제' 취급한다. 날마다 화가 치밀었다. 결국 부자 모두 달갑지 않은 하루하루를 보냈던 것이다.

별궁에는 태상황의 신변을 보필한다는 명목으로 300명의 여관이 일하고 있었다. 제위에 있었을 때는 그를 섬기는 여관은 3천 명이라고도 하고 5천 명이라고도 했으나, 나이가 예순을 넘기니 아무리 그래도 그 정도로 여색에 흥미를 가질 수는 없었다. 미모의 여관들도 그저 거기 있구나 하는 느낌이었다.

그런데 어느 늦은 봄날이었다. 따뜻한 햇살과 새 지저귀는 소리에 이끌려 태상황은 아침식사 전에 정원을 산책하고 싶어졌다. 거추장스러운 시종도 거느리지 않고 홀로 후미진 연못 기슭을 거닐고 있으려니 물소리와 비명이 들렸다. 놀란 태상황이 연못을 쳐다보니 한 여인이 연못 안에 서 있었다. 수심은 여인의 무릎까지밖에 오지 않았다. 수면에 대나무 광주리와 백합꽃이 떠 있는 것을 보니 여관이 물가의 꽃을 따려다 발이 미끄러진 모양이었다. 태상황의 서재를 꽃으로 장식하는 것은 여관들의 중요한 임무였다.

사람을 불러 여관을 구하자. 태상황은 그렇게 생각했으나 수심이 무릎 정도라면 생명의 위험은 없다. 여관 자신도 스스로 저지른 실수가 우스워 웃고 있었으므로 태상황도 몰래 웃었다. 그 웃음에 호색의 표정이 겹쳐졌다. 여관의 의복은 물에 젖어 피부에 달라붙었으며, 흐르는 듯한 팔다리의 곡선과 풍만한 유방이 태상황의 눈길을 빼앗았던 것이다.

태상황은 입술을 핥고는 물가로 다가가 여관에게 말을 걸었다. 그것이 태상황과 란푸의 만남이었으며, 1년 후 그녀는 늙은 선제의 아들을 출산하게 된다…….

이야기를 듣고 다륜은 의문을 품었다.

"처음부터 계획적이었다고 생각하오?"

"뭐, 그렇게 의심해도 어쩔 수 없는 노릇 아니겠소?"

화관장군의 대답에서는 가능한 한 공정을 기하려고 애쓰는 기척이 엿보였다. 란푸가 연못에 빠진 것이 우연일까? 처음부터 기회를 노리지는 않았을까? 그것은 의문이라기보다는 확신이 분명했다. 그뿐이라면 은퇴한 태상황이 마지막 정부를 얻었던 것으로 끝날 일이었겠지만, 한편으로는 새 황제에게도 문제가 있었다.

"폐하는 이미 형제를 넷이나 죽게 하셨소."

"살해당한 거요, 형제분들은?"

"자살을 명령받았지."

어떤 자는 반역 혐의를 받았다. 어떤 자는 소행이 문제가 되었다. 그리고 그들의 가족은 황족의 신분을 박탈당하고 추방되었다.

"그것도 다 폐하께서 스스로에게 자신감이 없기 때문이오."

화관장군의 목소리에 근심이 묻어났다.

황제는 황제로서 인망과 역량에 자신감이 없기 때문에 고압적으로 권위를 지키고자 한다. 누군가가 웃음소리를 내면 자신을 조소하는 것이 아닐까 생각한다. 누군가가 불평을 늘어놓으면 반란을 획책하는 것이 아닐까 의심한다. 피가 진한 자일수록 왕좌에 가깝기에 더욱 미움을 사게 된다. 황족은 황제에게 든든한 아군이어야 하는데도, 의구심에 시달리는 황제는 그런 생각을 하지 못했다. 위험을 느낀 황족들은 두려움에 떨었다. 그들을 구하고 지켜줄 사람은 태상황밖에 없다. 그들은 몰래 태상황에게 접근해, 란푸가 낳은 아이를 장래의 황제로 삼으려 하고 있다…….

"아이를 제위에 올리고 자신은 후견인이 되어 권력을 독점하려는── 그런 야심을 품은 자도 있겠군."

"그렇지. 라이허(雷河)의 모래알보다도 많을 것이오."

여기사는 입을 다물었다. 이방인에게 지나치게 많은 말을 했다고 생각했는지도 모른다. 다륜도 그 이상은 묻지 않았다.

문득 구릉 위에 먹구름이 끼었다. 다륜의 눈에는 한순간 그렇게 보였다. 다음으로 그의 눈에 비친 것은 물결치듯 이어진 반사광이었다. 햇살을 튕겨내며 번뜩이는 것은 온통 갑주의 대열이었다. 빛의 파도는 흔들리면서 낭자군에게 다가왔다. 다륜은 금세 완전히 파악할 수 있었다. 검은 갑주를 두르고 검은 말을 탄 병사들의 부대였다. 1천 기는 될 것이다.

놀랍게도 그들은 얼굴까지도 검었다. 검은 천으로 된 복면을 뒤집어썼기 때문이다. 검은 직물로 만들어 두 눈 부분만을 뚫어놓은 복면이었다. 많은 자가 창을 손에 들었는데 창대까지도 검게 칠해놓았다.

"보시오. 저것이 아군鴉軍이오. 전체의 극히 일부지만 이름이 잘 어울리는 모습이 아니오?"

정말 그랬다. 아군鴉軍이란 곧 '까마귀 부대'란 뜻이다. 입을 다문 채 가볍게 말을 모는 그들의 모습은 불길한 새떼를 연상케 했다. 직물로 만든 복면은 공기가 잘 통해 숨을 쉬거나 목소리를 내는 데에도 문제는 없을 것이다.

그들이 지근거리에 이르렀을 때 여기사가 말을 몰며 날카롭게 질타를 퍼부었다.

"무엄하다!"

당연히 세리카어로 말했으므로 다륜은 물크의 통역으

로 내용을 알았다.

"무기를 들고 말을 몰아 황족의 행렬을 가로막으려 하다니, 이 무슨 망발이냐! 즉시 말에서 내려 무릎을 꿇고 공주전하께 무례를 사죄하라!"

형식을 갖춘 고압적인 태도는 물론 작전이기도 했을 것이다. 그녀는 아군鴉軍에게 약점을 보일 마음은 추호도 없는 듯했다.

아군鴉軍 병사들은 대답하지 않았다. 흑면黑面에 뚫린 구멍 너머로 눈을 번뜩이며 그저 침묵했다. 그 침묵이 깨졌다. 위장까지 울리는 듯 힘찬 목소리가 후방에서 울려 퍼지는가 싶더니, 흑의흑면黑衣黑面의 기사들은 물 흐르듯 좌우로 물러나 길을 열었다. 말에서 내려 무릎을 꿇는다.

열린 길을 따라 한 사내가 걸어왔다. 왼손에 승마용 재갈을 들고 걸어서 공주의 마차 앞으로 다가오는 것이다. 검은 말, 검은 옷차림의 인간. 양쪽 모두 매우 늠름한 체격이었다. 이 사내만은 복면을 하지 않고 얼굴을 드러냈다. 적동색으로 그을린 얼굴, 날카롭고 다부진 얼굴, 굵은 눈썹, 번갯불로 가득 찬 두 눈, 왼뺨에 희게 떠오른 검상. 갑주의 색에 녹아들듯 멋들어진 흑발. 나이는 다륜보다도 열 살 정도 위가 아닐까.

대륙공로 주변 국가의 군대 중 최강은 파르스군이라고

다륜은 그렇게 믿고 있었다. 투란 기병도 용맹하지만 의외로 끈기가 부족하고 수세에 약하다. 튀르크군은 산악지대에서는 강해도 평원에서는 평가할 가치가 없다. 파르스군이야말로 최강일 터. 그러나 지금 다륜은 흔들리는 자신감을 자각했다.

사내는 공주의 마차 바로 앞에 멈추어 재갈을 손에서 놓았다. 땅에 한쪽 무릎을 꿇고 왼손은 주먹을 쥐어 오른손에 겹치더니 이마 높이로 내밀었다. 아군鴉軍 전원이 이에 따랐다. 화관장군은 날카로운 눈초리로 그들을 노려보고 있었다.

"갸륵하구나. 공주전하도 그대들을 가상히 여기실 것이다. 하나 그대들의 예의는 앞으로도 변함이 없으렷다?"

"아군鴉軍은 그저 황실에 충성을 맹세할 뿐이옵니다."

"황제와 태상황 어느 쪽에 말이더냐."

이것은 상당히 냉혹한 질문이었음이 분명했다.

"실례이오나 그러한 질문은 마땅치 못하다고 감히 생각하나이다. 제국에서 황통은 만세불멸이며 황제폐하와 태상황폐하는 일심동체, 어찌 신하된 몸으로서 감히 나누어 생각할 수 있겠나이까."

조용한 목소리였으나, 대하와도 같이 바닥을 헤아리지 못할 깊이가 있어 이의를 제기할 허점이 없었다.

이 사내는 어마어마하게 강하다. 무기를 손에 들고 싸

우지 않아도 다륜은 알 수 있었다. 전율의 바람이 파르스 기사의 몸속을 휩쓸고 지나갔다. 자신은 파르스에서도 손꼽히는 용사라는 자부심이 있다. 얼마 전에는 용맹하기로 소문난 투란의 왕제를 전장에서 꺾어 주변 뭇 국가들에 무명을 떨쳤다. 그러나 실적에 뒷받침된 자부심도 이 세리카 장수 앞에서는 철벽에 튕겨나는 화살처럼 무력했다. 지금 이 사내와 겨룬다면 반드시 패한다. 훗날 다륜은 이 자의 이름이 동호장군銅虎將軍임을 알게 되지만, 동호장군 쪽은 그를 흘끔 쳐다보았을 뿐이었다.

"공주전하께서도, 호사好事는 자중하심이……."

잠시 말을 끊은 후 덧붙인다.,

"이러한 변경을 낭자군의 호위만으로 여행하시다니, 너무나도 옥체를 가벼이 여기시는 듯하옵니다. 신하된 몸으로 외람되오나, 부디 삼가주시기를 바라나이다."

고개를 숙여 인사하더니 동호장군은 거구를 흔들며 일어났다. 그의 후방에서 무릎을 꿇고 있던 천여 명의 흑의기사들이 일제히 따랐다. 갑주며 검환劍環 울리는 소리가 이어져 모래에 반사되었다. 모든 움직임이 보는 이를 압도하기에 충분했다. 그들이 다시 말에 올라타 한 무리의 먹구름이 되어 장성 방향으로 달려가는 것을 다륜은 소리도 내지 않고 지켜보았다.

V

장성을 넘자 정말로 풍경이 돌변했다. 수목에 뒤덮인 산야 저편에 굵은 은색 띠가 보였다. 라이허라 불리는 대하의 지류라고 물크가 가르쳐주었으나, 이윽고 본류 기슭에 선 다륜은 아연실색했다.

파르스에도 몇몇 대하가 있지만 이 정도 규모는 아니었다. 강의 폭은 파르스의 척도로 1파르상(약 5킬로미터)을 헤아린다고 한다. 게다가 이것이 세리카에서 가장 큰 강도 아니고, 남동쪽에서 흐르는 롱창(龍江)이라는 강의 폭은 1.5파르상에 이른다고 한다.

기슭을 따라 동쪽으로 한나절. 본류에 인접한 항구가 있어 일행은 그곳에 마련된 배를 타고 세리카의 제도로 직행하게 되었다. 수로 쪽이 육로보다 안전하고 빠르기 때문이다.

다시 한 번 다륜을 놀라게 한 것은 대하를 건너는 배의 모습이었다. 선체 좌우에 직경이 5가즈(약 5미터)는 될 법한 거대한 수레바퀴가 달려 있다. 그 바퀴가 수면에서 회전하면 물보라가 높이 일어나고, 배는 인간이 지상을 걷는 것보다도 빠르게 하류를 가로지르며 나아가는 것이었다.

"지형이며 수류에 관계없이 이 강을 범선으로 횡단하

기란 어렵소. 바람은 강 상류에서 하류로 불기 때문에 범선은 떠내려가고 말지. 노를 써서 저으려 해도 인력의 한계가 있고. 그래서 기계를 이용해 바퀴를 움직이는 것이오."

설명을 들으며 다륜은 외륜선의 움직임을 지켜보았으나 문득 시선을 돌렸다. 항구 한구석에, 어딘가 눈에 익은 깃발이 여럿 보였던 것이다. 세모꼴 깃발에 시르(사자)를 그려넣은 도안은 파르스 사절단의 것이었다. 다륜은 말을 몰아 금세 동포들과 재회할 수 있었다. 물크도 황제에게 헌상할 보물을 실은 당나귀를 다소 유감스러운 듯 파르스인들에게 넘겨주었다.

"오오, 다륜 경. 게다가 물크도 무사했구려."

기뻐 소리를 지른 것은 파르스 사절단장 마칸 경이었다. 50대 전후의 귀족이다. 과거에 두 차례에 걸쳐 세리카에 다녀와 국가정세에 밝다. 처음 파견되었을 때 세리카 여성과 연애를 하고 아이도 생겨 재회를 고대하고 있다나. 물론 파르스에는 정식으로 결혼한 아내가 있고 아이도 남녀 합쳐 여덟이나 되지만, 보아하니 먼 타향에 만들어놓은 가정 쪽에 애착을 느끼는 모양이다. 길고 위험한 여행도 하루마다 세리카에 다가간다고 생각하면 즐겁기만 했을 것이다.

마칸 경의 입장에서 보면 다륜은 열흘 동안이나 행방

불명되었던 셈이다.

황송해진 다륜은 사죄했다. 그가 없는 동안은 부대장 바누 경이 책임을 졌을 것이다. 무사히 세리카에 도착하였고 헌상품도 무사했으므로 원래 느긋한 성격인 마칸 경은 완전히 기분이 좋아져 다륜을 크게 나무라려 하지도 않았다. 세리카 공주의 위기를 구해주었다는 사실을 보고했기 때문이기도 했다. 그것은 생각지도 못한 공적이라, 세리카 황제의 심증이 좋아질 것이 분명했다.

이제까지의 경위와 분위기 때문에라도 다륜과 물크는 공주의 배에 동승했다. 배 여행은 사흘간 이어졌다. 나흘째, 강에 인접해 세워진 거대한 성새도시의 모습이 보였다.

강물이 성 안으로 흘러들어가 수로를 이루는 것이리라. 거대한 궁릉穹陵 형태의 문이 강을 향해 열렸으며 크고 작은 다양한 배가 성 안으로 빨려 들어갔다. 외륜선이 많지만 범선이나 노를 젓는 배도 있어 현측이 서로 닿을 정도로 복잡했다.

"저것이 시츠이안푸(西都永安府)요. 우리의 위대한 도시지."

화관장군의 목소리에 다륜은 그저 고개를 끄덕일 수밖에 없었다.

지상에서 엑바타나의 영화를 능가한다고 일컬어지는

유일한 도시이다. 북쪽으로는 라이허의 흐름에 인접했으며 나머지 세 방향에서는 가도가 모여든다. 성벽의 높이는 15가즈, 총연장 길이는 8파르상. 상공에서 보면 정사각형을 이루며 성문의 수는 11, 그 중 셋은 수문이다. 성내 인구는 200만. 그 중 3할은 동서남북 사방에서 모여든 여러 외국의 주민들이며 파르스인만 3만 명에 이른다고 한다.

공주 일행이 도착한다는 사실은 이미 알려진 상태였다. 장성을 넘었을 때 경비부대에서 전서구로 날린 보고가 제도에 전해졌기 때문이다. 거대한 수문을 지났을 때, 구부러진 석제 천장에는 보주寶珠를 놓고 다투는 용과 범의 모습이 그려져 있었다.

배가 성내의 항구에 계류된 것과 동시에 창을 든 병사들이 갑판에 뛰어올랐다. 아름다운 갑주로 보아 근위병인 듯했다. 화관장군과 다륜을 보더니 그들은 목소리를 높였다.

“공주전하의 어전이다. 무릎을 꿇지 못할까!”

물크의 통역을 받은 다륜은 당황했다. 무례를 나무라는 시선과 목소리가 그를 향하고 있었다. 그러나 공주는 여전히 선실에 있으며 갑판 위로 나오지 않았다. 아직 무릎을 꿇을 필요는 없지 않은가.

다륜이 무릎을 꿇지 않는 것을 보고 세리카의 근위병

들은 분노한 모양이었다. 뒤에서 굵은 두 개의 창이 뻗어나와 다륜의 좌우 어깨를 눌렀다. 힘을 담아 무례한 외국인을 평복케 하려는 것이다. 반항하려던 다륜은 힘을 뺐다. 선실에서 흰색과 담홍색 비단옷을 두르고 얼굴을 직물로 가린 여인이 나타났기 때문이다. 하지만 그녀의 행동은 다륜의 상상을 초월했다. 지극히 높은 신분이어야 할 그녀는 공손히 화관장군 앞에 무릎을 꿇었던 것이다. 뇌리에 벼락이 쳤다. 다륜은 모든 것을 깨달았다. 이 공주는 대리였다. 진짜 공주는 일개 무인을 가장하여 자유로이 행동했다. 그녀가 한손을 들자 다륜의 두 어깨를 누르던 창이 물러났다.

"당신이 진짜 공주전하였습니까."

"미안하네. 내가 싱량 공주일세."

아름답고 용감한 세리카의 공주는 요염하게 웃었다. 붉고 흰 복숭아꽃에 싸인 비취 궁전. 그곳에 사는 작은 새와 대화하는 동방의 공주. 동화 같은 상상은 멋들어지게 박살이 나 다륜도 물크도 멍청히 서 있을 수밖에 없었다.

"동호장군이 호사라고 하였네만, 실제로 나는 이리도 폐만 끼치고 다니는 여자라 말일세. 규방에서 얌전히 거문고나 뜯고 있으면 좋을 것을 자꾸만 장성마저 넘어 땅끝까지 달려가보고 싶어지지."

싱량 공주의 미소를 다륜은 그저 바라보고만 있었다.

"세리카에 잘 오시었네."

호의로 가득한 목소리가 다륜의 가슴에 스며들었다.

"이 광대한 나라에는 인간 세상에서 가장 아름다운 것과 가장 추한 것이 모두 있지. 그 일부라도 확인하시고, 귀국한 후 널리 말씀을 들려주시게."

공주는 다시 한 번 웃더니 몸을 돌렸다. 모종의 체술體術을 익혔는지 체중이 없는 사람처럼 그녀의 몸은 이미 부두 위에 있었다.

"……그리고 세리카의 제도帝都 생활이 시작되었던 것이옵니다."

이야기를 일단락한 다륜의 옆얼굴을 어린 샤오는 달빛의 베일 너머로 바라보았다.

"다륜. 이런 질문을 해도 좋을지 어떨지 모르겠다만, 계속 세리카에 머물고 싶었던 것은 아니었나?"

망설이면서 건넨 질문에 흑의기사는 조용한 미소로 대답했다. 아르슬란의 질문을 예상했던 것 같기도 했다.

"당치도 않사옵니다. 만일 세리카에 머물렀더라면 전하를, 아니, 폐하를 위하여 일하지도 못하고 나르사스와 재회하지도 못했으며, 기이브나 파랑기스를 만나지도 못했을 것이옵니다. 저의 현재도 미래도 파르스에 있나이다."

힘 있고 성의로 가득 찬 대답이었다. 그것이 진실임을 아르슬란은 의심하지 않았다. 다만 아르슬란은 그것이 진실의 전부가 아님을 알 나이가 되었으며, 가능하다면 다륜이 세리카에서 있었던 일에 대해 더 들려줄 때를 기다려보고 싶었다…….

아르슬란 전기 독본

2014년 12월 10일 제1판 인쇄
2014년 12월 24일 제1판 발행

지음 다나카 요시키 · 라이트스태프 | **옮김** 김완

펴낸이 임광순 | **제작 디자인팀장** 오태철
담당편집자 황건수
편집1팀 황건수 · 정해권 · 오상현 · 김동규 · 신채윤
편집2팀 유승애 · 배민영 · 권소현 · 박예슬
디자인팀 박진아 · 정연지 · 이신애
국제팀 노석진 · 엄태진 | **마케팅팀** 김원진

펴낸곳 영상출판미디어(주)
등록번호 제 2002-000003호
주소 403-853 인천광역시 부평구 평천로 132 (청천동)
전화 032-505-2973(代) | **FAX** 032-505-2982

ISBN 979-11-319-0428-2
ISBN 979-11-319-0376-6 (세트)

일본 추리작가협회상 단편 부문 노미네이트
제22회 요코미조 세이시 미스터리상 수상자
하츠노 세이의 인기작

일상을 무대로 한 청춘 미스터리

퇴장게임

"난 이런 삼각관계, 절대로 인정 못 해."
호무라 치카, 폐부 직전의 약소 취주악부 플루트 주자. 카미조 하루타, 치카의 소꿉친구인 호른 주자. 음악 교사인 쿠사카베 선생의 지도 아래 취주악의 고시엔인 '보문관'을 꿈꾸는 두 사람에게 난제가 떨어진다.
화학부에서 도난당한 극약의 행방, 육 면 전체가 하얀 루빅큐브의 수수께끼, 연극부와의 즉흥극 대결, 미궁의 색 엘리펀츠 브레스에 관한 의뢰…….
두 사람의 추리가 빛나는 청춘 미스터리의 결정판 '하루치카' 시리즈 제1탄!

코믹하지만 깊이 있고 유쾌하지만 감동적인 청춘 연작 학원 미스터리!

하츠노 세이 지음 / 탄지 요코 일러스트 / 송덕영 옮김
문학으로 탐닉하는 엔터테인먼트